早開山

JN173807

六十九代 横綱

第69代横綱・白鵬 翔の手形。

ビジュアル

大相撲図鑑

決定版

監修：服部祐兒

汐文社

大相撲の世界を見てみよう

大相撲の最大の楽しみは、なんと言っても見ごたえある取組です。体重100kgをはるかに超える力士は、稽古によって鍛え抜かれた肉体が唯一の武器。土俵と呼ばれる狭い円形の競技場で行われる相撲は、ほかのスポーツに比べて勝負時間が短く、一瞬たりとも気が抜けません。特に、はだかでぶつかり合う立合いは、相撲の醍醐味を味わえる瞬間です。相撲のルールは「相手を土俵から出すか、相手の足の裏以外の一部を土俵につけたら勝ち」と比較的わかりやすく、老若男女誰もが楽しめますが、勝敗を左右するポイントは、いかにして相手のバランスを崩して技をかけるかであり、単なる力比べではありません。

力士は相撲独特の練習法により、「心」「技」「体」すべての要素を鍛えていて、勝敗はもちろん重要ですが、観客や相撲ファンを喜ばせる相撲内容が求められ、これらを兼ね備えた横綱や大関に出世することが力士の目標です。

本場所は、力士が日頃の稽古の成果を発揮する晴れの舞台です。大相撲

は本場所の成績によって番付（ランク）が決まる厳しい世界ですが、そのなかでは相撲の取組以外にも、華やかな場所入りや土俵入り、弓取式といったセレモニーや太鼓なども楽しめます。

　この本では、普段の力士の生活や相撲の歴史など興味深いことをいっぱい紹介しています。力士はどんなものを食べて、どんな一日を過ごしているのでしょうか。また、大相撲を支えている行司や呼出、床山を始め、年寄と呼ばれる親方衆らはどんなことをしているのでしょうか。

　力士は普段から髷を結い、和装で生活していますが、これは相撲が古代、神に五穀豊穣を祈願する神事として行われていたことに由来しているようです。相撲の歴史を始め、いろいろなことを知ることで、どんどん大相撲の世界に引き込まれてしまいます。

　みなさんにとって、おそらく謎だらけであろう大相撲の世界。この本をきっかけに、少しでも多くのみなさんに、その扉を開けて欲しいと願います。

服部祐兒　（東海学園大学教授　元大相撲力士・藤ノ川）

ビジュアル 大相撲図鑑

決定版

もくじ

1章 力士って、どんな人？ 8

2章 大相撲の舞台 32

この本に掲載されている力士の番付は特に表記があるときを除き、2017年（平成29年）10月に発表された番付表を基に作成しています。ただし、取組写真の情報は撮影時のものです。

相撲とは……

簡単なルールだからこそ、おもしろい

相撲のルールは単純明快。相手を土俵から出すか、相手の足の裏以外の一部を土俵につけると勝ちとなります。そんなわかりやすい勝負だからこそ、古今東西、老若男女あらゆる人たちをひきつけるのでしょう。

相撲の勝負は一瞬で決まる

力士が土俵に上がると、まず一連の土俵作法を行います。次に土俵上の2本の線で構え（「仕切り」）、力士同士のお互いの呼吸が合ったところで「立合い」です。相撲はこの一瞬の立合いが重要とされていて、取組の実に8割が、立合いで勝負が決まるとも言われています。

力士（りきし）とは……

「心（しん）」「技（ぎ）」「体（たい）」

理想的（りそうてき）な力士（りきし）は、「心」「技」「体」の充実（じゅうじつ）が求（もと）められます。

「心（しん）」

緊張（きんちょう）や動揺（どうよう）など心（こころ）の揺（ゆ）れは、勝負（しょうぶ）の世界（せかい）では命取（いのちと）りです。平常心（へいじょうしん）で土俵（どひょう）に上（あ）がり、相手（あいて）に向（む）き合（あ）うには、稽古（けいこ）による「心」の鍛錬（たんれん）が必要（ひつよう）です。

「技（ぎ）」

どんなスポーツでも一日（いちにち）で強（つよ）くなれるということはありません。相撲（すもう）も同（おな）じで、日々（ひび）、血（ち）のにじむような稽古（けいこ）を重（かさ）ねることで「技（わざ）」を修得（しゅうとく）します。

「体（たい）」

体格（たいかく）に恵（めぐ）まれた力士（りきし）だけが優（すぐ）れた結果（けっか）を残（のこ）すわけではありません。日々（ひび）の稽古（けいこ）で鍛（きた）え抜（ぬ）かれた「体（からだ）」こそが、体格差（たいかくさ）を超（こ）える強（つよ）い力（ちから）を生（う）み出（だ）します。

力士（りきし）は、これらの要素（ようそ）を鍛（きた）え、すべてを兼（か）ね備（そな）える存在（そんざい）となることを目標（もくひょう）としています。

1章 力士って、どんな人？

「相撲取り」とも呼ばれる「力士」は、最高位の「横綱」から一番下の「序ノ口」まで、ひとりひとりに「番付」と呼ばれる格付が決められています。番付ごとに待遇も異なり、本場所で優秀な成績を残すことによって、番付が徐々に上がっていきます。番付を決めるのは勝負の結果がすべて……そんな実力本位の世界であることも、大相撲の魅力のひとつです。

横綱・稀勢の里対関脇・御嶽海戦。【2017年（平成29年）7月場所】

大相撲のランク「番付」

力士の格付である番付は全部で十通りあり、髷の結い方や着物の布地、付け人の数といった待遇に違いがあります。取組の結果が番付を左右するため、力士たちは番付を上げることを目指して、日々、稽古に励んでいます。

横綱
大相撲における番付の最高位であり、全力士が目指す憧れの存在です。横綱にふさわしい力士がいないときは、空位（空けたまま）のこともあります。 **P.14**

大関
横綱の次の番付で、三役（P17）の最上位。「大関取」が語源と言われています。東西各1名の最少2名ですが、人数が足りない場合は、横綱が兼任することもあります。 **P.16**

関脇
大関、小結と合わせて三役と呼ばれ、三役の第二位。東西各1名の最少2名。 **P.18**

小結
大関、関脇と合わせて三役と呼ばれ、三役の第三位。東西各1名の最少2名。 **P.18**

横綱から前頭までが「幕内」（P18）と呼ばれます。最大42名で、全力士のなかでもほんのひと握りの存在です。

前頭
「前相撲」の「頭」が名前の由来で、「平幕」（P18）とも呼ばれます。東西に各1名ずつ、上位から前頭筆頭、前頭二枚目と置かれ、三枚目、四枚目と続きます。 **P.18**

十両
「十両になると一人前」と言われ、ここを境に待遇が飛躍的によくなります。定員は28名です。 **P.20**

十両からは「関取」と呼ばれるようになり、給料が支給されたり、付け人（P21）がついたりと、格段に待遇がよくなります。

幕下
「力士養成員」（P20）のトップクラス。本場所では幕下以下は7番（7回）の取組を行います。定員は東西で120名。 **P.22**

三段目
番付表の三段目に載っているから「三段目」です。定員は東西で200名。 **P.22**

序二段
序ノ口で勝ち越せば、序二段に上がります。もっとも人数が多いクラスです。 **P.22**

序ノ口
大相撲の入り口にあたり、前相撲（P46）を終えた力士は序ノ口となります。 **P.22**

幕内
三役
関取
力士養成員

横綱 (よこづな)

大関 (おおぜき)

実力だけでなく、品格も備えていることが要求される最高位の力士です。綱を締めた横綱は、「露払い」(P52) と「太刀持ち」(P52) を従えて土俵入りを行います。写真は第72代横綱・稀勢の里。

横綱の地位がつくられる前の江戸時代の番付表では最高位でした。ある一定の期間、好成績を続けなければ大関になることはできません (P16)。写真は大関・豪栄道。

関脇 (せきわけ)

小結 (こむすび)

前頭 (まえがしら)

三役のひとつで大関まであと一歩。負け越すと小結以下に陥落します。写真は西の関脇・嘉風。

三役のひとつ。この番付までくると、大関、横綱への道が開けてきます。写真は西の小結・阿武咲。

ここまでは番付表 (P12) の上位に名前が書かれます。写真は前頭筆頭・玉鷲。

※このページに掲載されている力士の番付は、2017年（平成29年）10月に発表された番付表を基にしています。

番付表

「番付表」は、力士の格付がひとめでわかるものです。ほかに行司・呼出・床山・審判委員など、大相撲を支えている人たちの名前も記されており、本場所のたびに最新のものがつくられます。

西　①　東

前頭　小結　関脇　大関　横綱

② ⑥　③　十両　幕下　三段目　序二段　序ノ口

④ ⑤ ⑨　⑦　⑧

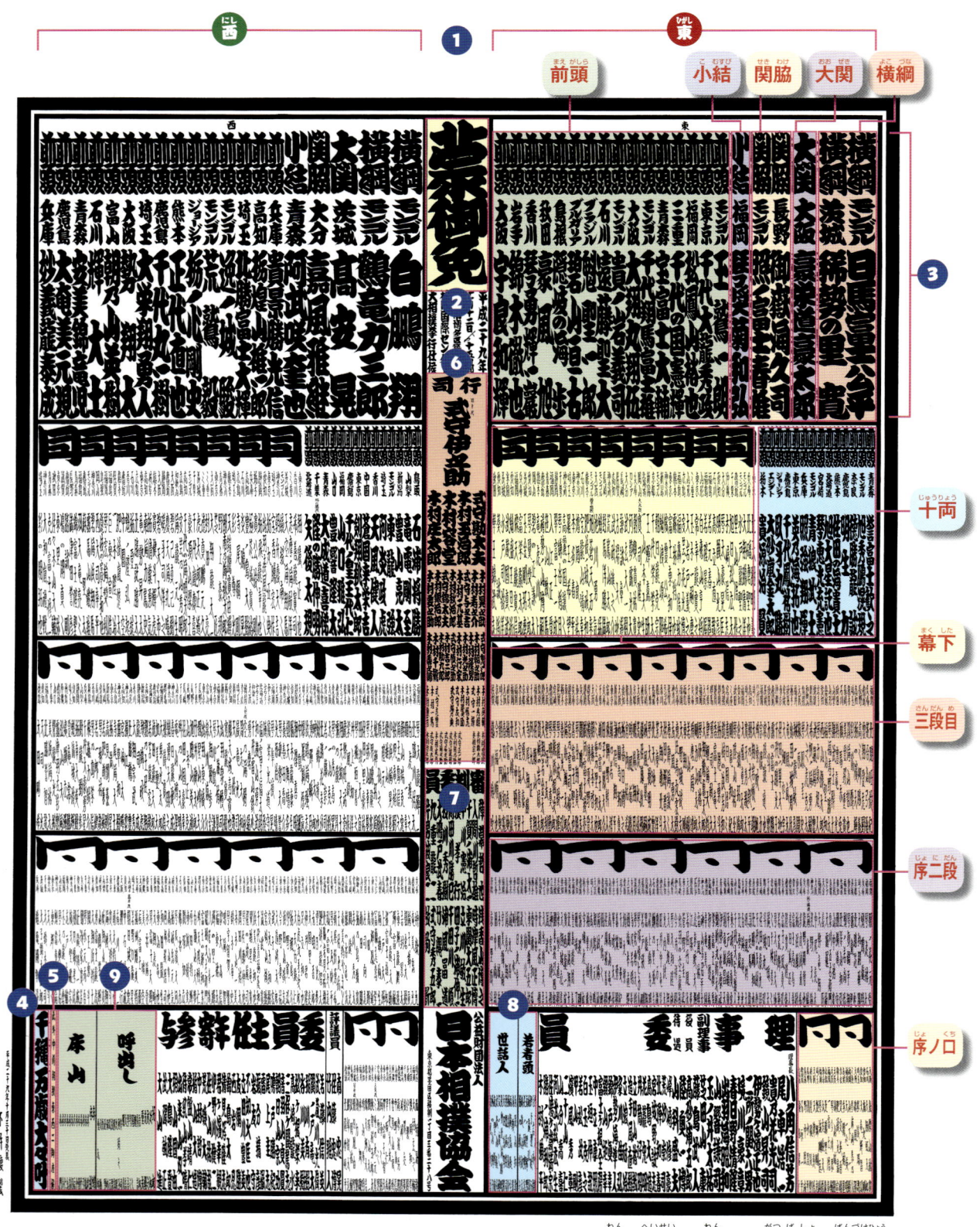

2017年（平成29年）11月場所の番付表。

番付表の見方と説明

1 東・西
向かって右側が東方、左側が西方で、昔、東軍と西軍に分かれて戦っていた名残です。同じ番付のときは、東のほうが格上になります（たとえば西の横綱より、東の横綱が格上）。

番付表は、本場所で櫓に掲げられています。

2 蒙御免
「許可を受けています」という意味。江戸時代に相撲興行を行うとき、寺社奉行の許可を得ていることを掲げていたことに由来します。

6 行司 (P92)
土俵上で取組の進行、勝負を判定する権限をもちます。一番大きく書かれているのは立行司です。

3 力士の情報
番付、出身地、四股名 (P24) が書かれています。

7 審判委員 (P102)
取組の判定をするのは行司の仕事ですが、審判委員も勝敗を決める権限をもちます。

4 千穐万歳大々叶
千穐（秋）楽までの土俵の無事と、「千年も万年も大入りでありますように」という祈願の言葉です。

8 若者頭 (P101)・世話人 (P101) など
裏方業務を行う世話人や若者頭、日本相撲協会関係者の名前も書かれています。

5 此外中前相撲東西二御座候
この番付表に記載されている力士以外にも、東西に前相撲の力士がいる、という意味です。

9 呼出 (P98)・床山 (P96)
取組の際、力士を呼び上げる呼出や、力士の髪を結う床山の名前も書かれます。どちらも格付があり、呼出は十両以上、床山は特等と一等の人が書かれます。

豆知識
本場所後、番付編成会議が開かれ新たな番付が決められます。番付表は行司が手書きで作成し、印刷され、人々の手に渡ります。一般の人は両国国技館のほか、本場所開催場所などで購入できます。

横綱

番付のなかの最高位が横綱です。大相撲の頂点に君臨する横綱は、相撲を志す者ならば誰もが憧れる存在です。横綱が登場した江戸時代から数えても72人（2017年［平成29年］10月現在）しか誕生していません。

横綱昇進の条件

大関で2場所連続優勝、もしくはそれに準ずる成績を収めることが横綱に昇進する条件だと言われています。しかし、そのときの成績や横綱の人数などによって条件が変わることもあります。

横綱
200人にひとりしかなれないと言われています。

露払い
横綱土俵入りの際の先導役。

横綱・白鵬の土俵入り。【2017年（平成29年）7月場所】

番付の頂点、横綱

第69代 横綱

白鵬 翔 （はくほう しょう）
- **生年月日** ● 1985年（昭和60年）3月11日
- **出身地** ● モンゴル・ウランバートル
- **身長** ● 192cm **体重** ● 157kg
- **得意技** ● 右四つ・寄り

第71代 横綱

鶴竜 力三郎 （かくりゅう りきさぶろう）
- **生年月日** ● 1985年（昭和60年）8月10日
- **出身地** ● モンゴル・スフバートル
- **身長** ● 186cm **体重** ● 158kg
- **得意技** ● 右四つ・下手投げ

第72代 横綱

稀勢の里 寛 （きせのさと ゆたか）
- **生年月日** ● 1986年（昭和61年）7月3日
- **出身地** ● 茨城県牛久市
- **身長** ● 187cm **体重** ● 184kg
- **得意技** ● 左四つ・寄り・突き

求められるのは強さと品格

たんに強いだけでは横綱にはなれません。なによりも横綱としての「品格」を備えていることが大切です。大相撲を背負って立つ存在として、理想の力士像を示すことが求められます。

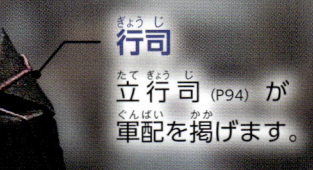

行司
立行司 (P94) が軍配を掲げます。

その先は引退のみ！

横綱はたとえ負け越しが続いても横綱の地位から下がることはありません。横綱の責任を果たせなくなったら引退の道しかないのです。下の地位からの出直しは認められない、厳しい立場です。

横綱が登場したのは江戸時代

江戸時代、強い大関に免許を与えて「横綱」と呼んだのが始まりです。横綱とは、一番強い力士をさす称号（呼び名）だったのです。初代から3代目までは謎に包まれており、歴史上ではっきりと確認できるのは第4代横綱・谷風と第5代横綱・小野川からです。

横綱「谷風」「小野川」らが描かれた相撲錦絵（国立国会図書館蔵）。

※このページに掲載されている力士の情報は、2017年（平成29年）12月のものです。

大関（おおぜき）

江戸時代後期に横綱の地位がつくられるまでは、大関が番付の最高位でした。「三役」の一番上にあたり、関脇か小結を３場所以上務め、そのときの勝ち星が33勝以上であることが大関になる目安と言われています。

大関同士の序列（おおぜきどうしのじょれつ）

前場所の成績が高い力士から、東の大関、西の大関に配置されます。前場所の勝ち星の数が同じ場合は、前場所の番付上位の者が上になります。

高安 晃（たかやす あきら）

生年月日 ● 1990年（平成2年）2月28日
出身地 ● 茨城県土浦市
身長 ● 185cm　体重 ● 182kg
得意技 ● 突き・押し

豪栄道 豪太郎（ごうえいどう ごうたろう）

生年月日 ● 1986年（昭和61年）4月6日
出身地 ● 大阪府寝屋川市
身長 ● 183cm　体重 ● 161kg
得意技 ● 右四つ・寄り

※このページに掲載されている力士の番付は、2017年（平成29年）10月に発表された番付表を基にしています。

大関ってどんな力士？

三役の最上位

三役は大関、関脇、小結を合わせた呼び方です。ただし最近では、大関は別格扱いになることが多く、関脇と小結だけをさすことが増えてきました。

別格

大関

関脇

小結

カド番大関ってなに？

大関は、2場所続けて負け越すと関脇に降格してしまいます。このため、負け越した大関は「ここで負け越せば陥落の瀬戸際」という意味の「カド番」と呼ばれる、苦しい立場に追い込まれます。ただし、陥落した次の場所で10勝以上すれば大関に復帰できます。

大関

大関の定員は？

大関は、東西に1名ずつ必要とされています。もし大関が空位（誰もいない状態）の場合は横綱が兼ね、「横綱大関」と呼ばれます。

東 西 バチ バチ

特別な「紫色」

大関以上の力士は、化粧まわしの下部についている「馬簾」と呼ばれる房の部分に、紫色を使うことができます。

馬簾

関脇・小結・前頭

番付表の最上段にあたる横綱から前頭までをまとめて「幕内」と言い、その力士のことを幕内力士と呼びます。関脇、小結は「三役」と呼ばれる地位でもあります。前頭は、「役についていない幕内力士」であるため、「平幕」とも呼ばれます。

「幕内」と呼ばれるようになった理由

江戸時代、将軍が相撲を見るときに仕切りとして幕を張っており、数人の優れた力士だけが将軍のいる幕の内側に入ることができました。そこで「幕のなかに入ることができるくらい優秀な力士」のことを「幕内」と呼ぶようになったと言われています。

下位 ← → 上位

前頭

小結

関脇

小結・嘉風と前頭・栃煌山の取組。
【2017年（平成29年）5月場所】

名誉ある三賞!

関脇以下の幕内力士のなかで、本場所15日間で好成績を残した力士に贈られるのが「殊勲賞」「敢闘賞」「技能賞」で、合わせて「三賞」と言います。殊勲賞は優勝力士や横綱から金星（P136）をあげたり、優勝したりした場合などに贈られます。敢闘賞は「敢闘精神旺盛な成績優秀者」に贈られます。技能賞は優れた技量を発揮した力士のなかから選ばれます。

2017年（平成29年）5月場所での三賞受賞者。左から小結・御嶽海（殊勲賞）、前頭・阿武咲（敢闘賞）、関脇・髙安（技能賞）、小結・嘉風（技能賞）。

目指せ、横綱・大関！

本場所中、幕内力士の取組はテレビで毎日放送されます。関脇・小結・前頭上位の力士は、
多くの場合、本場所の前半に横綱や大関といった強い力士との取組が組まれます。

東

西

関脇

関脇 御嶽海 久司
- 生年月日 ● 1992年（平成4年）12月25日
- 出身地 ● 長野県木曽郡上松町
- 身長 ● 179cm
- 体重 ● 161kg
- 得意技 ● 突き・押し

関脇 嘉風 雅継
- 生年月日 ● 1982年（昭和57年）3月19日
- 出身地 ● 大分県佐伯市
- 身長 ● 177cm
- 体重 ● 145kg
- 得意技 ● 突き・押し

関脇 照ノ富士 春雄
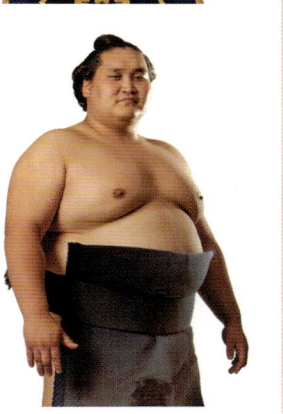
- 生年月日 ● 1991年（平成3年）11月29日
- 出身地 ● モンゴル・ウランバートル
- 身長 ● 192cm
- 体重 ● 187kg
- 得意技 ● 右四つ・寄り

豆知識
入門後、前相撲からスタートして幕内に入るまで、早くても2〜3年かかります。

小結

小結 琴奨菊 和弘

- 生年月日 ● 1984年（昭和59年）1月30日
- 出身地 ● 福岡県柳川市
- 身長 ● 180cm
- 体重 ● 178kg
- 得意技 ● 左四つ・寄り

小結 阿武咲 奎也

- 生年月日 ● 1996年（平成8年）7月4日
- 出身地 ● 青森県北津軽郡中泊町
- 身長 ● 176cm
- 体重 ● 165kg
- 得意技 ● 突き・押し

前頭

東		西		東		西
玉鷲 一朗	筆頭	貴景勝 光信		遠藤 聖大	九枚目	大栄翔 勇人
千代大龍 秀政	二枚目	栃煌山 雄一郎		魁聖 一郎	十枚目	勢 翔太
松鳳山 裕也	三枚目	北勝富士 大輝		碧山 亘右	十一枚目	朝乃山 英樹
千代の国 憲輝	四枚目	逸ノ城 駿		隠岐の海 歩	十二枚目	輝 大士
宝富士 大輔	五枚目	荒鷲 毅		豪風 旭	十三枚目	安美錦 竜児
千代翔馬 富士雄	六枚目	栃ノ心 剛史		琴勇輝 一巖	十四枚目	大奄美 元規
大翔丸 翔伍	七枚目	正代 直也		錦木 徹也	十五枚目	妙義龍 泰成
貴ノ岩 義司	八枚目	千代丸 一樹		宇良 和輝	十六枚目	―

※このページに掲載されている力士の番付は、2017年（平成29年）10月に発表された番付表を基にしています。

十両

<ruby>十<rt>じゅう</rt></ruby> <ruby>両<rt>りょう</rt></ruby>

番付表の2段目、幕下と同じ段に載っていますが、待遇は天と地ほど差があります。幕下以下は「力士養成員」とされて基本的に無給ですが、十両は「関取」の仲間入りとなり、給料が支給されます。

力士って、どんな人？

十両の土俵入り。【2017年（平成29年）9月場所】

十両に上がると待遇がぐんとよくなる

力士の待遇の差で特に大きいのが、十両以上の「関取」(P10) と幕下以下の差です。このため力士全員が、まずは十両に昇進して関取になることを目指しています。

その1 月給がもらえる
十両になると月給と力士褒賞金がもらえます。

その2 髪型が変わる
土俵上での取組や公式の場で大銀杏 (P30) を結えるようになります。

その3 付け人がつく
幕下以下の力士が付け人となって、身の回りの世話をします。十両なら2〜3人です。ちなみに、幕内力士になると3〜4人、横綱になると8〜10人もの付け人を従えます。

その4 服装が変わる
羽織や袴、白足袋を身につけることも認められます。

その5 塩をまける
土俵上で塩をまけるようになります。

その6 住まいが変わる
相撲部屋 (P108) で、個室が与えられます。

その7 化粧まわし
まわしは、稽古時は白色、取組時は絹製の締込をつけることができるようになります。色も選べます。化粧まわし (P28) もつけることができます。

その8 明け荷がもてる
明け荷という自分専用の道具箱をもつことができます。明け荷は、縦45cm、横80cm、高さ30cm、重さ約10kgです。四股名が記されており、なかには、締込やさがり、化粧まわし、浴衣のほか、自分専用の座布団、タオルなどが入っています。
荷物を入れると50kgにもなる明け荷を運ぶのは、付け人の仕事です。

幕下・三段目・序二段・序ノ口

大相撲人生は、番付表の一番下に書かれている序ノ口から始まります。ここで勝ち越せば序二段へ昇進です。十両以上は1場所15日間で毎日相撲を取りますが、幕下以下は15日間で7番の相撲を取ります。

十両まであと少し、「幕下」

東西60枚目まであるなかで、幕下上位は、十両から落ちてしまった力士と十両昇進が近い力士たちがしのぎを削ります。十両力士と取組を行うこともあります。待遇面では、博多帯、外とう（コート）、マフラーの着用が認められ、番傘を使うこともできます。定員120名です。

その名の通り、番付表の「三段目」

序二段の力士が本場所で好成績を残すと三段目に上がります。雪駄を履くことが許され、黒足袋も認められます。また、公式の場では着物の上に羽織も着用できます。定員200名です。

幕下取組。【2017年（平成29年）5月場所】

22

上から4段目、「序二段」

序ノ口で勝ち越すと、序二段に上がります。番付表の上から4段目にあたり、江戸時代は「四段目」と呼ばれていました。定員は決まっていませんが、現在は200名以上いるもっとも人数の多い番付です。

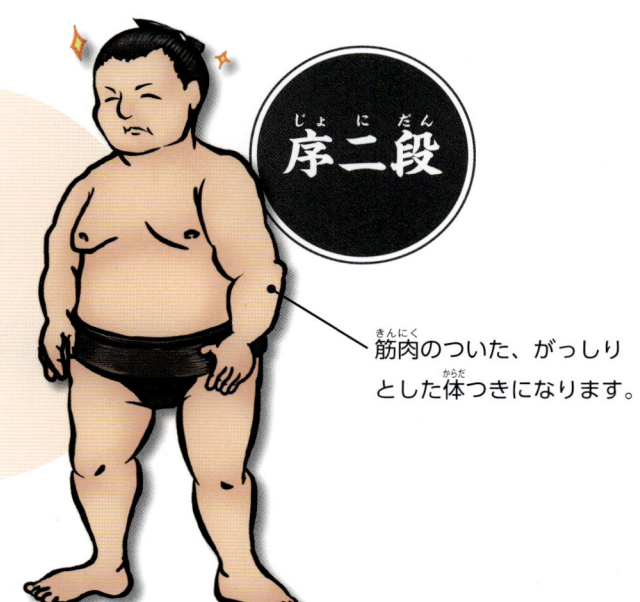

序二段

筋肉のついた、がっしりとした体つきになります。

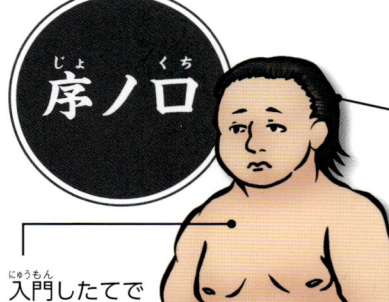

序ノ口

まだ髪が伸び切らないため、丁髷（P30）が結えません。

入門したてで細い体の力士もいます。

前相撲を取れば「序ノ口」へ

力士の卵たちは、「新序出世披露」（P47）を土俵上で行えば、翌場所からは「序ノ口」に上がります。まさに相撲人生のスタート地点です。序ノ口の定員は決まっていません。

豆知識

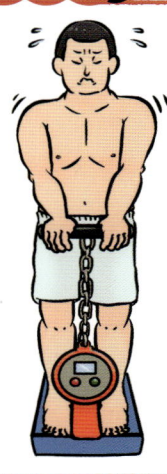

大相撲の力士になるためにはまず相撲部屋に弟子入りし、次に体格検査と健康診断を行う新弟子検査（P106）に合格しなくてはなりません（身長167cm以上、体重67kg以上。中学卒業以上、23歳未満が条件です）。

番付の「同」の意味とは

番付表には上から番付、出身地、四股名の順に情報が載っています。しかし、幕下からは番付が「同」と略して書かれてしまいます。三段目からはさらにまとめられて大きく、もっと略された「同」の文字で書かれてしまいます。また、番付表に書かれる文字の大きさも、下になるにつれて小さく細くなっていきます。一番下の序ノ口はあまりに細くて読みにくいことから、序ノ口力士たちのことを「虫眼鏡」とも言います。

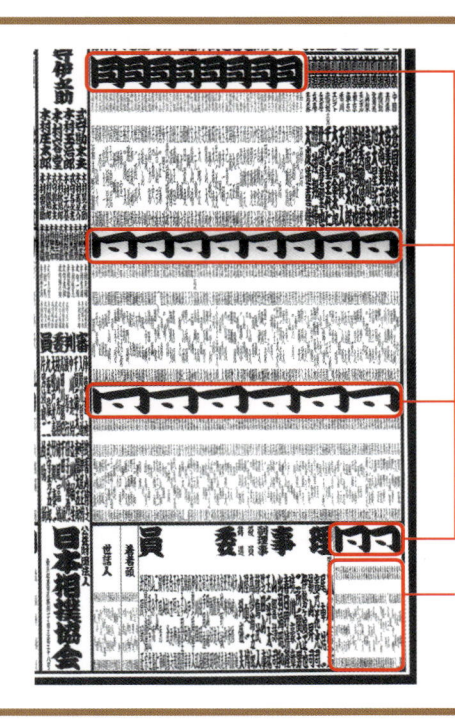

「同」の文字が記されています。

「虫眼鏡」。

23

四股名（しこな）

「白鵬 翔（はくほう しょう）」「稀勢の里 寛（きせのさと ゆたか）」のように、力士が名乗る名前を四股名と言います。かつては「醜名」と書きましたが、江戸時代（えどじだい）頃から「四股名」と書かれるようになりました。四股名には名字にあたる部分と、名前にあたる部分があり、取組（とりくみ）の際（さい）には名字（みょうじ）の部分（ぶぶん）だけが呼び上げられます。

2017年（平成29年（へいせい ねん）） 1月（がつ）に行（おこな）われた
高砂部屋（たかさごべや）所属（しょぞく）の朝乃山（あさのやま）の襲名（しゅうめい）披露（ひろう）。

いつから名乗（なの）る？
誰（だれ）がつける？

前相撲（まえずもう）から四股名を名乗る場合（ばあい）もあれば、番付（ばんづけ）が上（あ）がるタイミングで本名（ほんみょう）から改名（かいめい）する力士（りきし）もいます。しかし、最近（さいきん）では上位（じょうい）に上（あ）がっても、本名（ほんみょう）のまま通（とお）す力士（りきし）もいます。四股名は師匠（ししょう）（親方（おやかた））(P100) や親（おや）、本人（ほんにん）、タニマチ(P137) が決（き）めます。力士は四股名が決まると襲名（しゅうめい）披露（ひろう）を行（おこな）うこともあります。

「山（やま）」や「海（うみ）」のついた
四股名（しこな）が多（おお）いのはなぜ？

力士（りきし）の四股名（しこな）に、出身地（しゅっしんち）の山（やま）や海（うみ）など自然（しぜん）にちなんだものが多（おお）いのは、江戸時代（えどじだい）に大名（だいみょう）に召（め）し抱（かか）えられた力士（りきし）が、藩（はん）にゆかりのある名前（なまえ）をつけていた名残（なごり）です。

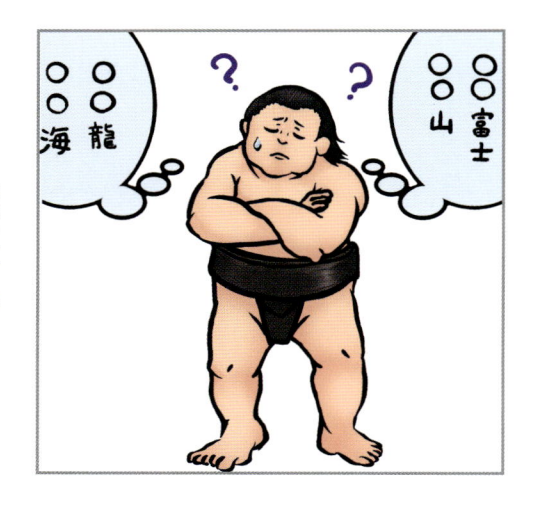

改名（かいめい）してゲン直（なお）し

決（き）まった手続（てつづ）きを行（おこな）えば、いつでも四股名（しこな）を変（か）えることができます。特（とく）に十両（じゅうりょう）、大関（おおぜき）、横綱（よこづな）などへの昇進（しょうしん）の機会（きかい）、または部屋（へや）を移（うつ）る際（さい）に改名（かいめい）することが多（おお）いようです。勝負（しょうぶ）で負（ま）けが続（つづ）いたり、ケガや病気（びょうき）が続（つづ）いたりしたときに「ゲン直（なお）し」として改名（かいめい）する場合（ばあい）もあります。

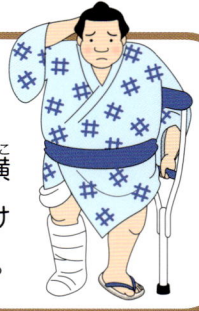

さまざまな四股名のつけ方

定番は強そうなイメージの生き物

強くてたくましいイメージの虎や狼などからつけるのも定番です。龍や麒麟など伝説上の動物からつけることもあります。鶴や鷲などの鳥類は「手がない＝手をつかない（負けない）」ことから、人気があります。

土地の名前をつける

高知県出身の土佐ノ海（高知県の海から）や長野県出身の御嶽海（長野県の御嶽山から）など、ふるさとの地名や、知名度の高い山や川の名を入れることはよくあります。外国人力士では、ブルガリア出身の琴欧洲は、ヨーロッパという意味の「欧州」、エストニア出身の把瑠都は「バルト海」にちなんだ四股名でした。

師匠や部屋の名前からつける

出羽海部屋の「出羽疾風、出羽ノ城」のように、所属する部屋の名前をもらう場合や、佐渡ヶ嶽部屋の「琴」、九重部屋の「千代」のように師匠や先代師匠の四股名の一部をもらう場合もあります。

ユニークな四股名

力士の四股名には、おもわず笑ってしまうユニークなものもありました。
「おだやか 常吉」「酒呑山 清二郎」「一二三山 四五六」「凸凹 太吉」「自転車 早吉」「黒猫 白吉」「三毛猫 泣太郎」など。時代を映す「文明 開化」といった四股名もありました。

●部屋ごとにつけている四股名の漢字の例

相撲部屋	四股名の文字	四股名
井筒部屋	鶴	鶴龍、鶴大輝
入間川部屋	司	寶司、磋牙司
追手風部屋	大翔	大翔丸、大翔鵬
尾車部屋	風	嘉風、豪風
片男波部屋	玉	玉鷲、玉金剛
九重部屋	千代	千代大龍、千代丸

相撲部屋	四股名の文字	四股名
佐渡ヶ嶽部屋	琴	琴奨菊、琴勇輝
千賀ノ浦部屋	舛	舛東欧、舛乃山
出羽海部屋	出羽	出羽疾風、出羽ノ城
友綱部屋・浅香山部屋	魁	魁聖、魁渡
友綱部屋	旭	旭秀鵬、旭大星
八角部屋	北勝	北勝富士，北勝就

力士のまわし

土俵上で力士が身につけているまわしは、相撲のユニフォームです。まわしにはつける場面の違いにより「稽古まわし」「締込」「化粧まわし」の3種類があります。また、番付によって締められるまわしの種類や色が決まっていて、色つきの締込は十両以上の関取でなければ身につけることはできません。

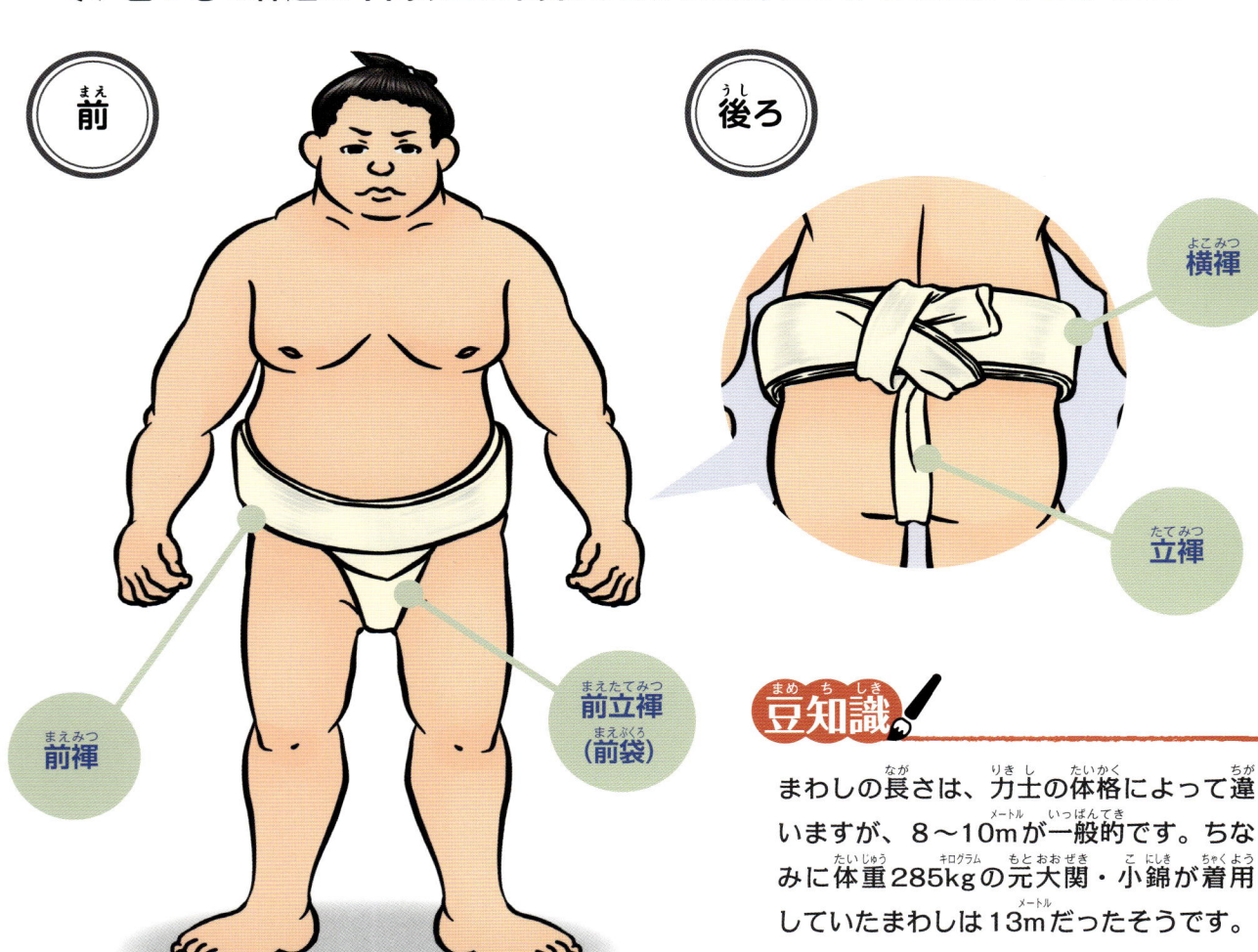

前

後ろ

横褌

立褌

前褌

前立褌
（前袋）

豆知識

まわしの長さは、力士の体格によって違いますが、8〜10mが一般的です。ちなみに体重285kgの元大関・小錦が着用していたまわしは13mだったそうです。

まわしを締めるコツ

まわしはひとりでは締められないので、補助をしてくれる人が必要です。締め始めは「まわしの先端の向き」に、締めているときは常に「折り目（輪の部分、折りすじ）の向き」に注意し、二つ折り、四つ折り、六つ折りと変化する折りの種類にも注意しながら締めていくのがコツとされています。実際のまわしの締め方は日本相撲協会 (P103) のホームページで紹介しています。

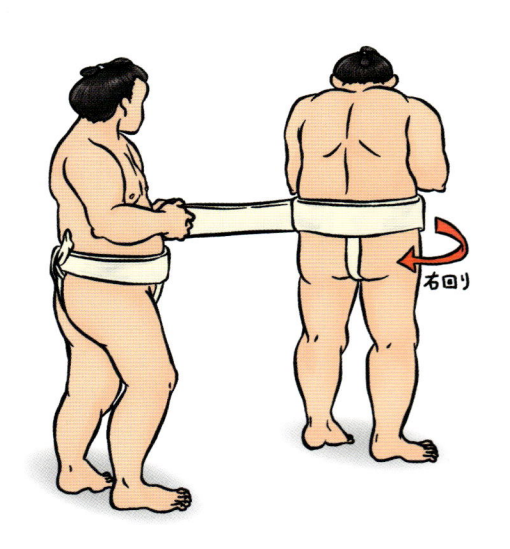

右回り

まわしの色と種類

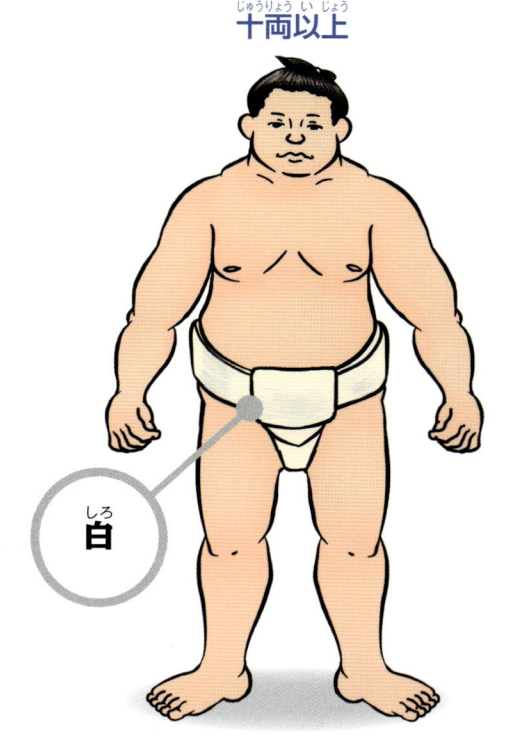
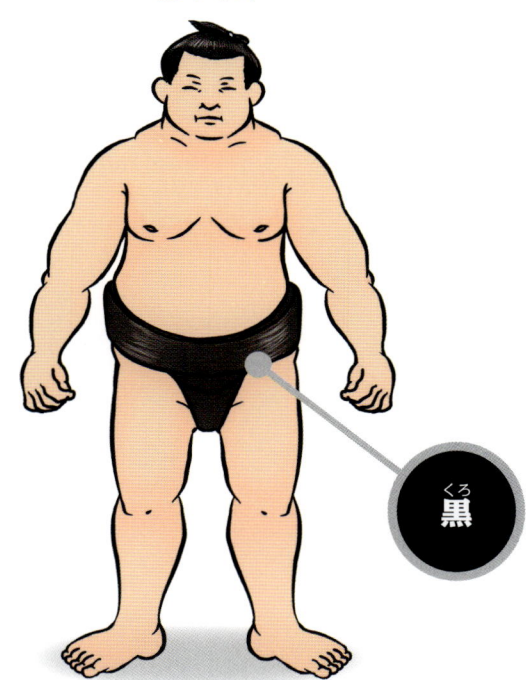

まわしは
3種類

稽古まわし

稽古でつけるまわしは、雲斎木綿や帆布と言われる丈夫な素材でできています。幕下以下は稽古も本場所も黒い色のまわしをつけ、十両以上の関取は、稽古では白い色のまわしをつけます。

白

黒

締込

十両以上の関取が、本場所や巡業 (P116) で締めます。絹の繻子織でつくられています。黒色や茄子紺色が原則ですが、カラフルなものもあります。

化粧まわし

関取が土俵入り (P48) のときに締めます。絵模様が描かれた面をエプロンのように前にたらし、裾には馬簾と呼ばれる金色や朱色をした房がついています。

取組の際につける「さがり」とは?

まわしの前部分にはさんでたらす、飾りの一種です。十両以上の力士は、縦糸を束ねてふのりで棒状に固め、先端だけ平たくしています。さがりの本数は力士の体格により異なりますが、縁起をかついで必ず奇数です。

化粧まわし

横綱や大関などが土俵入りをするときにつける、色鮮やかなまわしのことを「化粧まわし」と言います。化粧まわしは、十両以上の力士である関取だけがつけることを許された特別なものです。まわしの下の部分には力士の四股名や贈り主（後援会、スポンサー）の名前などが書かれています。

豪華な素材でつくられている

化粧まわしの生地は、西陣織や博多織などの伝統工芸品です。職人が1枚1枚ていねいに手づくりしている豪華な織物に、美しい絵模様の刺繍が施されています。後援会やスポンサーなどが、昇進を祝って贈るのが一般的です。化粧まわしは1枚100万円以上すると言われています。横綱の場合は、露払いと太刀持ちの分と合わせて3枚必要なので、用意するには最低でも300万円以上の費用がかかります。

四股名

美しい刺繍
（写真は、岩手山と石割桜）

西陣織や博多織

贈り主の名前

伊勢ノ海部屋の前頭・錦木の化粧まわし。
1枚の重さは6〜7kgにも及びます。

ユニークな絵模様がいろいろ

ゆるキャラの化粧まわし

化粧まわしの絵模様は、力士の四股名、出身地に由来するもの、縁起をかついだものなどさまざまです。最近では、化粧まわしを贈った芸能人の名前を入れたものやアニメのキャラクターが描かれたものなど、これまでにないユニークな絵模様が登場しています。

熊本県出身の十両・佐田の海は、ゆるキャラの「くまモン」が描かれた化粧まわしを持っています。

スーパーカーの化粧まわし

2017年（平成29年）1月、関取のなかで最軽量級の114kg（当時）の前頭・石浦は、「軽さ」「スピード」「力」がイギリスの自動車メーカー「マクラーレン」の車と似ているということで、化粧まわしが贈呈されました。

力士本人と化粧まわし。

豆知識

化粧まわしの着用は、基本的には関取にしか許されていませんが、弓取式や新序出世披露、「相撲甚句」（P119）を歌うときなどは、特別に関取以外の力士でも着用します。

どすこいメモ！ 縁起をかついだ、師匠の四股名にちなんだ化粧まわし

2017年（平成29年）3月、新横綱となった稀勢の里が、田子ノ浦部屋の後援会から贈られた三つ揃いの化粧まわしは、富士山を望む名勝「田子の浦」と、師匠の四股名「隆の鶴」にちなんだ絵柄です。横綱の化粧まわしは富士山を背景に、鶴が大きな翼を広げたもの。露払い用のまわしには、「田子の浦」の上を2羽の鶴が舞う姿、太刀持ち用のまわしには、幼い鶴3羽の羽ばたく姿が描かれています。「雌雄の鶴が子をなし、子が独り立ちして日本一の富士をもしのぐ関取となるように」との思いが込められています。

太刀持ち用の化粧まわし。

横綱・稀勢の里の化粧まわし。

露払い用の化粧まわし。

力士の髪型

力士の髪型には「丁髷」と「大銀杏」があります。髷を結うことで、全身に緊張感がみなぎって力が出るとも言われています。力士の髷を結うのは床山と呼ばれる専門の技術をもった職人です。

公式の場で結う、大銀杏

十両以上の関取が、本場所や巡業の取組など、公式の場に出るときに結う髪型です。はけ先を広げた形が銀杏の葉に似ていることから、この名前がつきました。鬢（左右の髪のこと）を大きく張り出させて、独特の形をつくります。

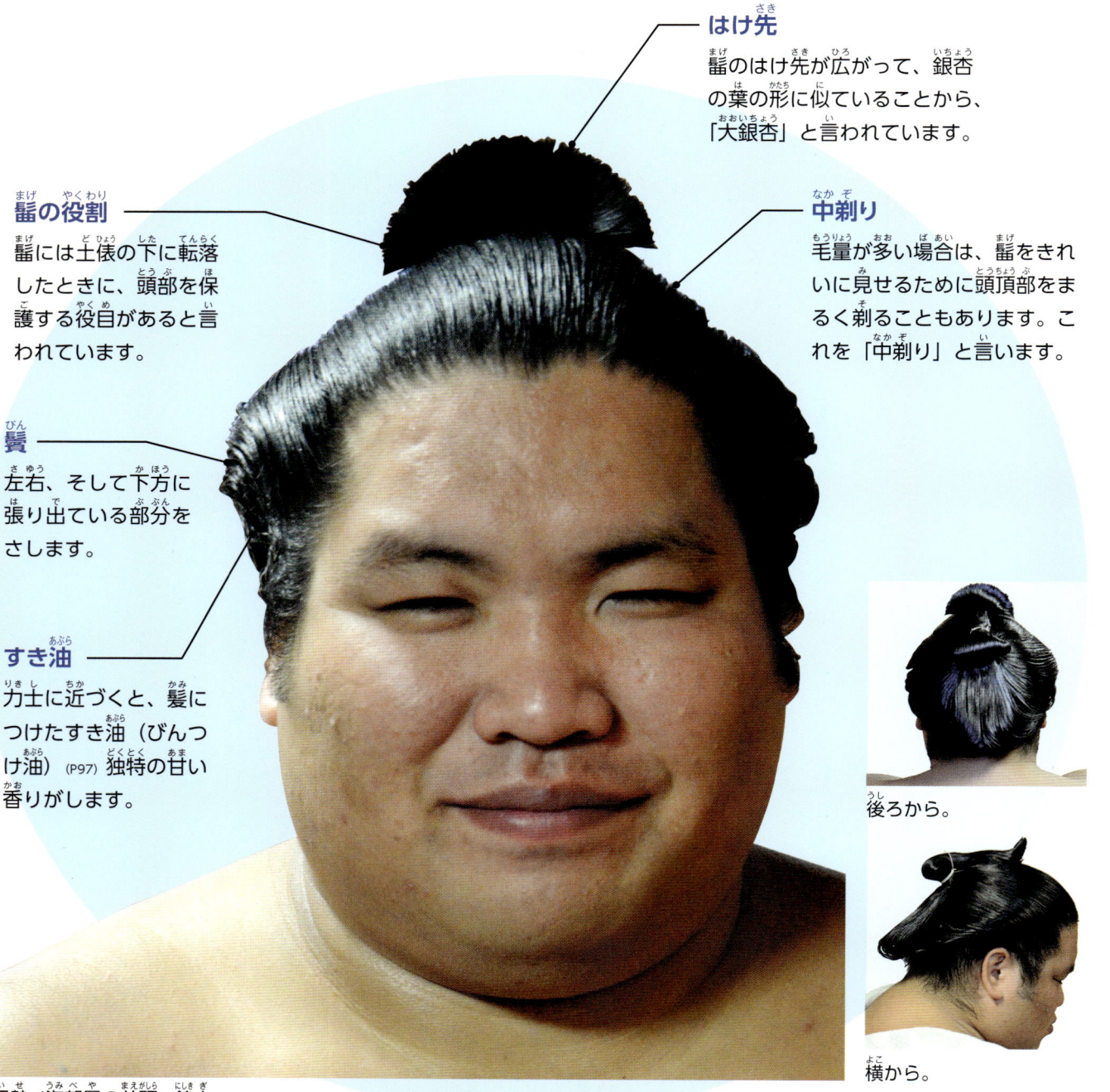

はけ先
髷のはけ先が広がって、銀杏の葉の形に似ていることから、「大銀杏」と言われています。

髷の役割
髷には土俵の下に転落したときに、頭部を保護する役目があると言われています。

中剃り
毛量が多い場合は、髷をきれいに見せるために頭頂部をまるく剃ることもあります。これを「中剃り」と言います。

鬢
左右、そして下方に張り出ている部分をさします。

すき油
力士に近づくと、髪につけたすき油（びんつけ油）(P97) 独特の甘い香りがします。

後ろから。

横から。

伊勢ノ海部屋の前頭・錦木。

引退すると髷はどうするの？

力士が引退する際、髷を切り落とす断髪式を行います。力士、関係者が大勢で大銀杏にはさみを入れるため、その人数は数十人にもなります。最後にはさみを入れる「止めばさみ」は、引退当時の師匠、あるいは代理の年寄（P100）が務めます。十両以下の力士も、断髪式のときだけは大銀杏を結うことができます。

おつかれさま

力士のふだんの髪型、丁髷

力士はみな、ふだんは丁髷を結っています。丁髷は「元結」というひもで髪を縛り、束ねた髪を前方に寝かせたものです。髷先は少し右に傾けますが、これは第31代横綱・常ノ花の髪型をほかの力士がまねをして、定着したとされています。

長さ
頭の頂点から伸びた髪が、左右に分けたあとあごの下で交差できるほどの長さがあれば、丁髷を結うことができます。大銀杏はそれよりもさらに長い必要があります。

髪は硬い？
一見、硬そうに見えますが、力士の髷は実は硬くありません。眠るときも丁髷のままです。乱れたり汚れたりしたら、洗って結い直します。

後ろから。

横から。

伊勢ノ海部屋の三段目・漣。

2章 大相撲の舞台

両国国技館の観客席はすり鉢のように斜めになっており、どこの席からも取組を見ることができます。約1万1千人の観客を収容できます。

三役揃い踏みの様子。【2017年（平成29年）1月場所】

十二月
冬巡業（九州など）

十一月
本場所 11月場所
福岡国際センター
住吉神社 奉納土俵入り

十月
明治神宮例祭奉祝
全日本力士選士権大会
秋巡業（中部〜中国地方など）

九月
本場所 9月場所（秋場所）
両国国技館

八月
夏巡業（東北〜北海道など）

七月
本場所 7月場所（名古屋場所）
愛知県体育館
熱田神宮 奉納土俵入り

六月
海外での公演や単発の巡業、部屋の合宿

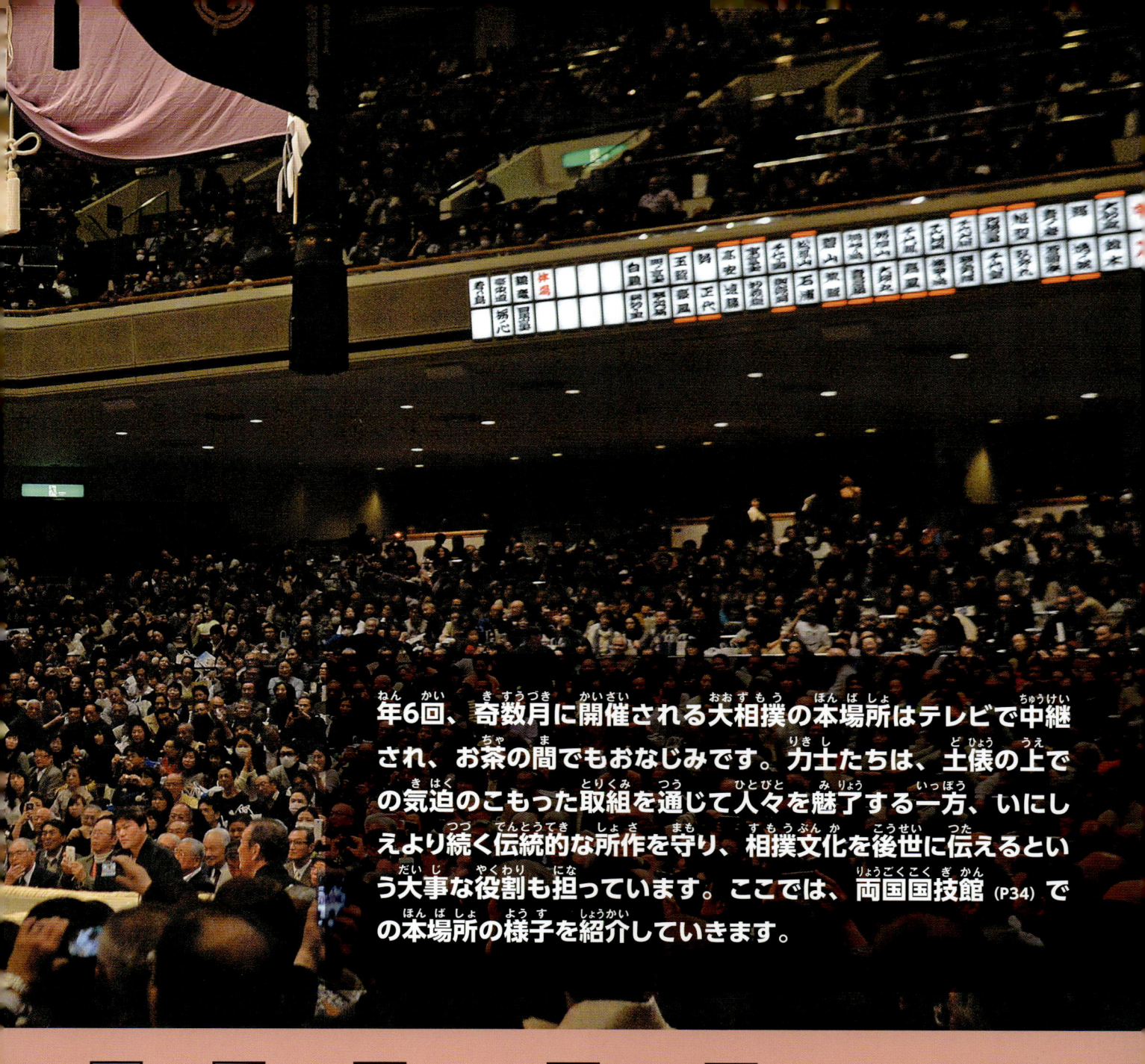

年6回、奇数月に開催される大相撲の本場所はテレビで中継され、お茶の間でもおなじみです。力士たちは、土俵の上での気迫のこもった取組を通じて人々を魅了する一方、いにしえより続く伝統的な所作を守り、相撲文化を後世に伝えるという大事な役割も担っています。ここでは、両国国技館（P34）での本場所の様子を紹介していきます。

大相撲の主な 年間スケジュール

年6回の「本場所」の合間に、地方巡業や奉納相撲（P120）が行われています。

一月

本場所　1月場所（初場所）
両国国技館

明治神宮　奉納土俵入り

二月

節分会
日本大相撲トーナメント
NHK福祉大相撲（例年、2月上旬に両国国技館で行われるチャリティー興行）

三月

本場所　3月場所（春場所、大阪場所）
大阪府立体育会館

住吉大社　奉納土俵入り

四月

伊勢神宮・靖国神社　奉納大相撲
春巡業（関西〜中部〜関東など）

五月

本場所　5月場所（夏場所）
両国国技館

大相撲の本場所

相撲では、試合のことを「取組」と言います。本場所で行われる取組は、その成績に応じて番付が上下するので、まさに真剣勝負です。本場所は東京、名古屋、大阪、福岡の４つの都市で年６回開催されます。

両国国技館

両国国技館は、国内で唯一の大相撲興行のための施設です。東京・両国駅に近く、地上３階、地下２階の建物の延床面積は約３万5000平方メートル。現在の国技館は、1985年（昭和60年）１月場所から使われています。入り口正面には大きな相撲浮世絵が飾られており、建物のなかには江戸の町並みをイメージさせる「お茶屋通り」や相撲グッズを扱う売店など、魅力あふれるスポットがたくさんあります。大相撲の歴史が学べる相撲博物館 (P103) も併設されています。

国技館のデータ

所在地：
　東京都墨田区横網1-3-28

敷地面積：約1万8300平方メートル

収容人数：1万1098人

主要都市で全6場所開催します

大相撲の本場所は東京都の両国国技館で、1、5、9月場所の3回、大阪（3月）、名古屋（7月）、福岡（11月）では各1場所ずつ行われます。地方巡業でも取組を見ることはできますが、本場所の迫力は格別なものがあります。

国技館の前には、幕内力士の名前が書かれたのぼりが何十本も立ち並び、風にはためいています。のぼりは、ファンやひいきの客が贈ったものです。布製で、丈は540cm、幅は90cmほどの大きさで、鮮やかに本場所をいろどります。

●本場所一覧

 1月場所（初場所） 東京都 両国国技館

 3月場所（春場所、大阪場所） 大阪府 大阪府立体育会館

 5月場所（夏場所） 東京都 両国国技館

 7月場所（名古屋場所） 愛知県 愛知県体育館

 9月場所（秋場所） 東京都 両国国技館

 **11月場所（九州場所）** 福岡県 福岡国際センター

国技館の歴史

1909年（明治42年）に完成した両国国技館は、1917年（大正6年）に火事により全焼、1920年（大正9年）に再建されました。1945年（昭和20年）には空襲により被災したため、以後は野外施設などで本場所を開催していました。
その後、1954年（昭和29年）に蔵前国技館が完成し、現在の両国に移るまで30年間本場所が開催されました。

明治後期、回向院境内に建てられた旧国技館。

土俵

力士が力をぶつけあう競技場、それが土俵です。土俵がつくられたことで、対戦相手を倒すだけでなく、「押す」「引く」ことにより相手を境界線から出せば勝利となるルールができました。

角俵

勝負俵の外側に正方形に配置された俵。四方に各7個、計28個の俵からできています。

勝負俵

円形にならんだ俵。16個の俵からできています。

徳俵

円形にならんだ勝負俵から、東西南北の4か所が俵ひとつぶんだけ外側にずらしてあります。ここだけ土俵が広く、足を土俵内に残すことができるので、「徳（得）俵」と呼ばれます。

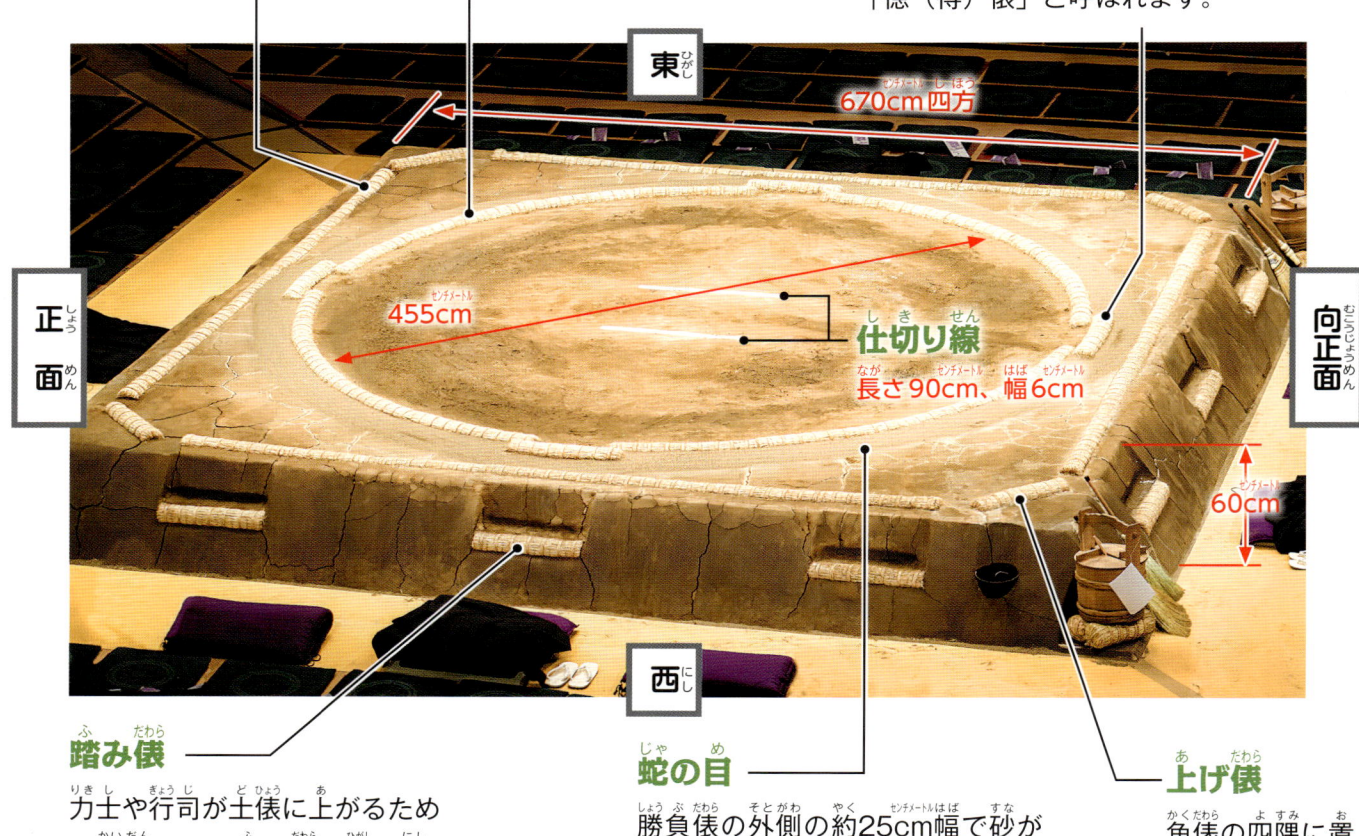

東（ひがし）
670cm四方
正面（しょうめん）
455cm
仕切り線
長さ90cm、幅6cm
向正面（むこうじょうめん）
60cm
西（にし）

踏み俵

力士や行司が土俵に上がるための階段です。踏み俵は東、西、向正面には各3か所ずつ、正面に1か所設置されています。

蛇の目

勝負俵の外側の約25cm幅で砂が敷かれている部分のこと。砂についた力士の足あとなどが、勝負の結果を変えることもあります。

上げ俵

角俵の四隅に置かれている俵。

豆知識

江戸時代初期までは土俵はなく、「人方屋」と呼ばれる人が取り囲んでいる輪のなかで相撲を取っていましたが、けが人が続出し危険だったことから、観客から離し、かつ取組を見やすくするために、俵に土を詰めた袋（土俵）で囲まれた土俵がつくられました。また元々は「土俵場」と言われていました。

神様が宿っていると言われる屋形

屋形は土俵の上に吊られており、伊勢神宮などと同じ建築様式である「神明造」でつくられています。

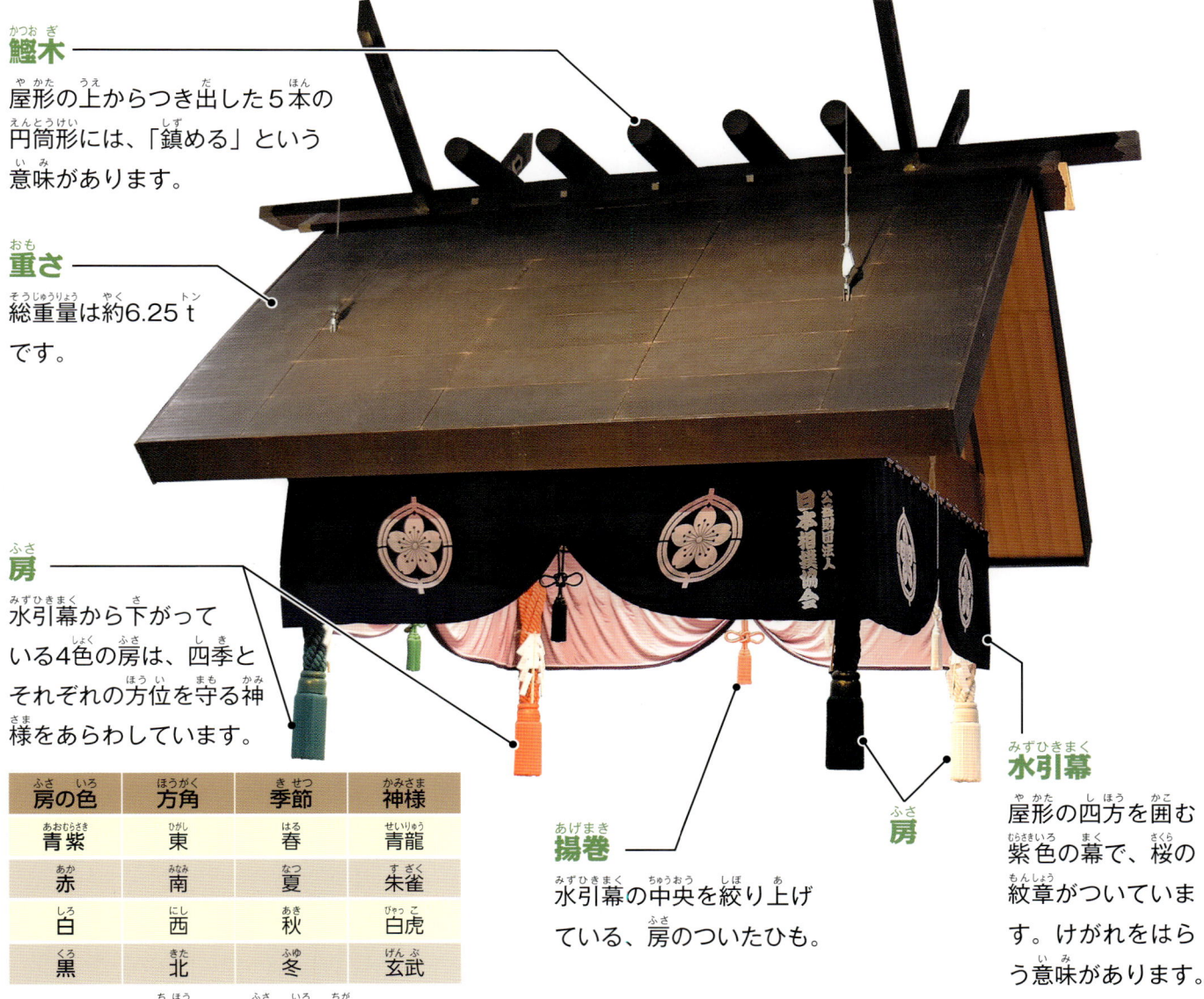

鰹木
屋形の上からつき出した5本の円筒形には、「鎮める」という意味があります。

重さ
総重量は約6.25ｔです。

房
水引幕から下がっている4色の房は、四季とそれぞれの方位を守る神様をあらわしています。

房の色	方角	季節	神様
青紫	東	春	青龍
赤	南	夏	朱雀
白	西	秋	白虎
黒	北	冬	玄武

※地方により房の色は違っていることがあります。

揚巻
水引幕の中央を絞り上げている、房のついたひも。

房

水引幕
屋形の四方を囲む紫色の幕で、桜の紋章がついています。けがれをはらう意味があります。

どすこいメモ！ 屋形を支える4本の柱

現在、屋形は天井から吊っていますが、以前は4本の柱で支えていました。1952年（昭和27年）9月場所から翌年より始まるテレビ中継のため、取組が見やすいように現在のような構造になりました。

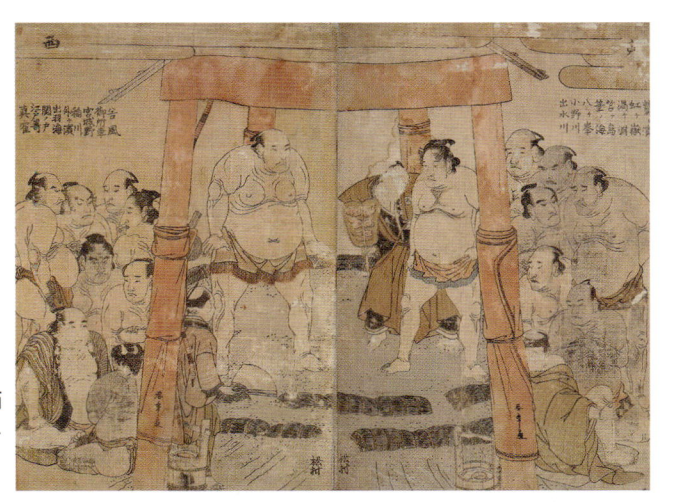

「相撲取組之図」（天明2〜3年）勝川春章が描いた錦絵。土俵のそでに4本の柱があります（東京都立中央図書館特別文庫室蔵）。

土俵築（どひょうつき）

相撲（すもう）は神様（かみさま）に奉納（ほうのう）する祭事（さいじ）であり、土俵（どひょう）は神聖（しんせい）な場所（ばしょ）と考（かんが）えられています。土俵（どひょう）をつくることを「土俵築（どひょうつき）」と言（い）います。場所（ばしょ）ごとにつくり替（か）え、完成（かんせい）したあと、土俵（どひょう）の無事（ぶじ）を祈願（きがん）して「土俵祭（どひょうまつり）」が行（おこな）われます。

神様に祈りを 捧げる土俵祭（かみさまにいのりをささげるどひょうまつり）

土俵（どひょう）が完成（かんせい）したら「土俵祭（どひょうまつり）」が行（おこな）われ、神様（かみさま）に興行（こうぎょう）の無事（ぶじ）を祈（いの）ります。立行司（たてぎょうじ）が祭主（さいしゅ）を務（つと）め、祝詞（のりと）を奏上（そうじょう）したら縁起物（えんぎもの）の勝（か）ち栗（ぐり）、カヤの実（み）、洗米（せんまい）、スルメ、昆布（こんぶ）などを鎮（しず）め物（もの）として土俵（どひょう）のなかに献（けん）じて埋（う）め、御神酒（おみき）を注（そそ）いで神様（かみさま）を迎（むか）えます。

2017年（平成29年）3月場所の前に行われた土俵祭の様子。

土俵のつくり方

土俵築は呼出の人たちの仕事で、機械を使わずさまざまな道具を使用して3日間かけて仕上げます。両国国技館では土俵の上の古い土（約3分の2）を削り取って新しくし、地方場所では毎回土を全部入れ替えてつくります。

1 俵をつくる

俵に土を入れ、荒縄で縛り、勝負俵などをつくります。

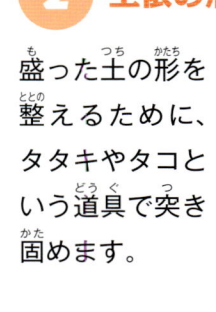

2 土俵の形をつくる

盛った土の形を整えるために、タタキやタコという道具で突き固めます。

3 俵を埋める

土俵に溝を掘って俵を埋めていきます。

4 土俵の表面を整える

さらに土俵の表面を整え、側面には踏み俵を入れます。

5 土俵を乾燥させる

屋形（P37）についている照明の熱と扇風機を使って、土を乾かします。

完成！

どすこいメモ！ 昔の土俵は二重だった

江戸時代（天明年間）、神社の境内で相撲が興行として行われていた頃の錦絵によると、当時の土俵が二重の円だったことがわかります。1931年（昭和6年）より現在の形に変更されました。

「勧進大相撲の図」（国立国会図書館蔵）。

観客席
かんきゃくせき

本場所が開かれる東京、大阪、名古屋、福岡の会場には「溜席」「枡席」「椅子席」の3種類の座席が設けられています。さらに両国国技館には「ボックス席」があり、テーブルつきの枡席やベンチ席を設けた会場もあります。ここでは東京・両国国技館の客席をのぞいてみましょう。

1階 溜席

力士をもっとも間近で見られる特等席！

砂が飛んでくるほど土俵に近いことから、「砂かぶり席」とも言います。力士の表情や息づかいを感じることができて迫力満点です。ただし、土俵に近いので飲食や撮影は禁止です。

1階 枡席

座布団に座ってにぎやかに

鉄パイプで囲まれたスペースに、人数分の座布団が敷いてあります。枡の大きさ（広さ）ごとに1〜6名で利用できるチケットが販売されています。お茶屋さんがお弁当や飲み物を席まで運んでくれるサービスもあります。

両国国技館の観客席。

2階 椅子席　安価でお手軽な席

土俵からの距離、見やすさに応じて、A席、B席、C席、自由席（当日券のみ販売）の4種類があります。椅子A席には便利なミニテーブルがついています。

1階 ボックス席　優雅に双眼鏡を使って観戦

座布団に座るのに慣れていない外国人などに対応するためにつくられた特別席で、4〜5名用です。両国国技館のみにあります。1階の後方に位置するので、双眼鏡を持っていくと便利です。

どすこいメモ! 相撲茶屋（お茶屋さん）

江戸時代から続くサービスで、正式には「相撲案内所」と呼びます。入場券の手配、客席への案内、お弁当・飲食の提供などを行います。たっつけ袴（P98）姿の店員がいて江戸情緒を体験できます。

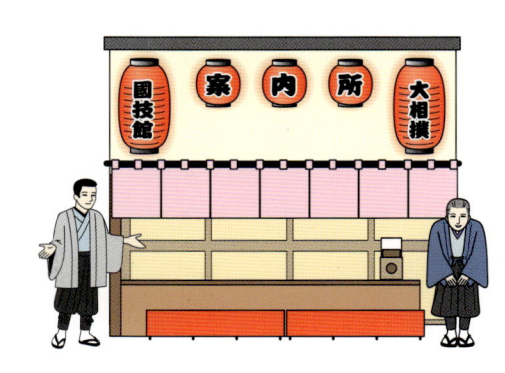

土俵のまわり

土俵上で熱戦が繰り広げられているまっ最中、土俵のまわり（「土俵だまり」と言う）には、控え力士のほか、審判委員や審判長、呼出などがいて取組の様子を見守っています。

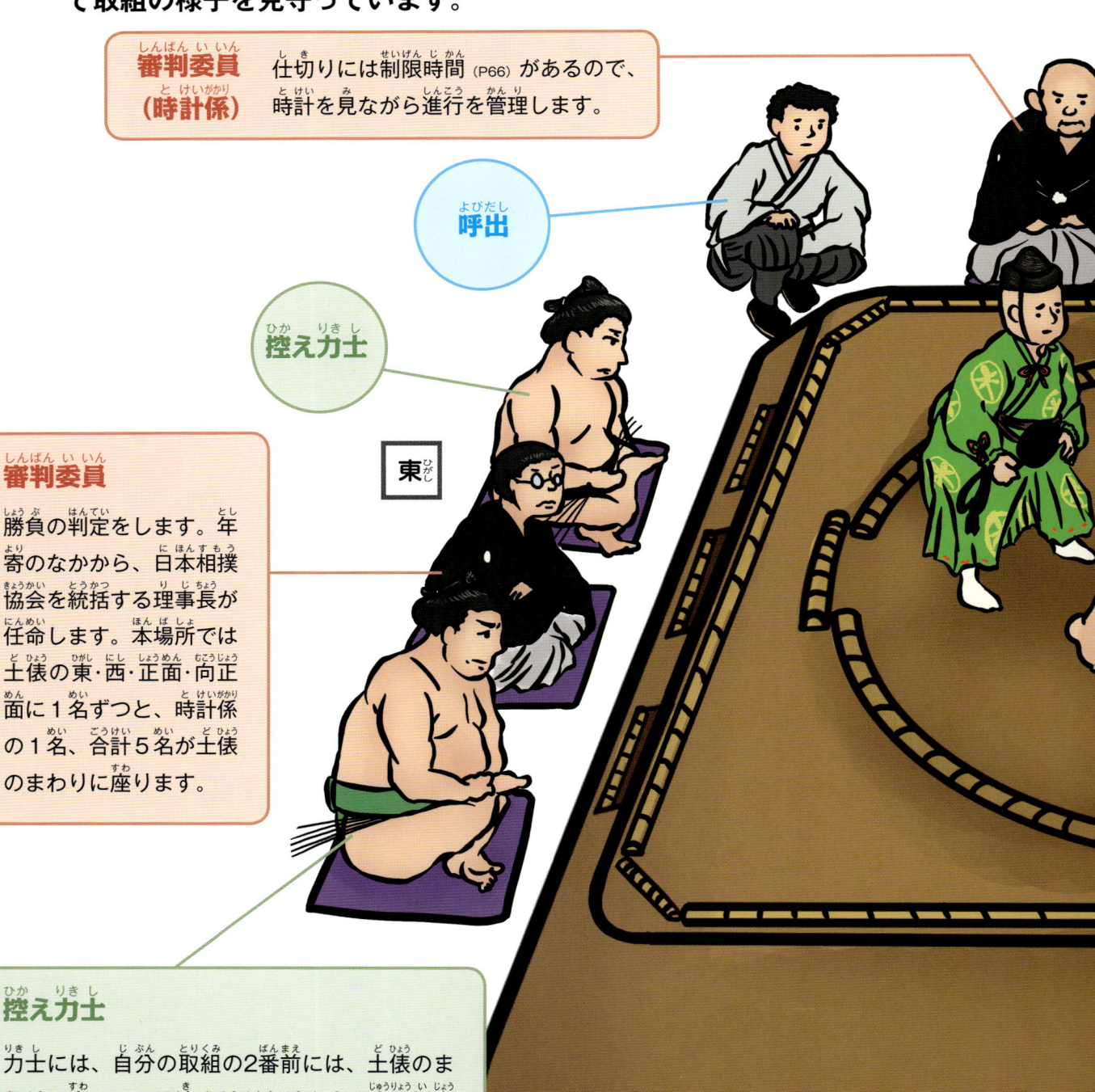

審判委員（時計係）　仕切りには制限時間 (P66) があるので、時計を見ながら進行を管理します。

呼出

控え力士

東

審判委員

勝負の判定をします。年寄のなかから、日本相撲協会を統括する理事長が任命します。本場所では土俵の東・西・正面・向正面に1名ずつと、時計係の1名、合計5名が土俵のまわりに座ります。

控え力士

力士には、自分の取組の2番前には、土俵のまわりに座っている決まりがあります。十両以上の取組の場合は、力水 (P64) をつけます。基本的に勝った力士が次の取組の力士にひしゃくを渡すため、前の取組の力士が負けた場合は自分の次の取組の力士がひしゃくを渡します。

正面

控え行司（ひかえぎょうじ）
向正面の中央に座ります。土俵上の行司が何らかの
理由で勝名乗りをあげられなくなった場合、代理を
務めます。

向正面（むこうじょうめん）

審判委員（しんぱんいいん）

呼出（よびだし）
東と西に1名ずつ座り、土俵にまく塩を足し
たり、力士に制限時間を伝えたりなど、土俵
まわりのさまざまな仕事を担当しています。

控え力士（ひかえりきし）

西（にし）

審判委員（しんぱんいいん）

控え力士（ひかえりきし）

審判長（しんぱんちょう）
審判委員の長となる人で、正面に座ります。
審判委員や控え力士が行司の軍配に異を唱え
ることを「物言い」（P72）と言います。物言い
がついた勝負の結果は、審判長が発表します。

本場所の一日

本場所は、奇数月の第2日曜日に始まり、第4日曜日までの15日間、開催されます。1日目を初日、8日目を中日、最後の日を千秋楽と呼びます。一日のスケジュールはおおよそ決まっていて、朝8時に開場し18時に終了します。ここから本場所の一日の流れを見ていきましょう。

> 呼出が櫓で叩く寄せ太鼓の音が開場の合図です。「トトトン」と軽快な音に心がはずみます。

8:00〜	8:25頃〜	8:35頃〜				14:15頃〜	14:35頃〜
開場	前相撲	序ノ口取組	序二段取組	三段目取組	幕下取組	十両土俵入り	十両取組
	P46				P48		

前相撲

新弟子の取組からスタート。3日目（3月場所のみ2日目）より行われます。

幕下取組

序ノ口、序二段、三段目、幕下取組が行われます。幕下以下の力士は黒いまわし、行司は裸足で土俵に上がります。

幕内土俵入り

いよいよ幕内力士が登場です。華やかな化粧まわしをつけて、土俵入りを行います。

弓取式

本場所の一日を締めくくる儀式です。「結びの一番」(P55)のあとに、弓取式を務める力士が土俵に上がって、華麗な弓さばきを披露します。千秋楽には、このあとに表彰式、行司を胴上げする「神送りの儀式」などが行われます。

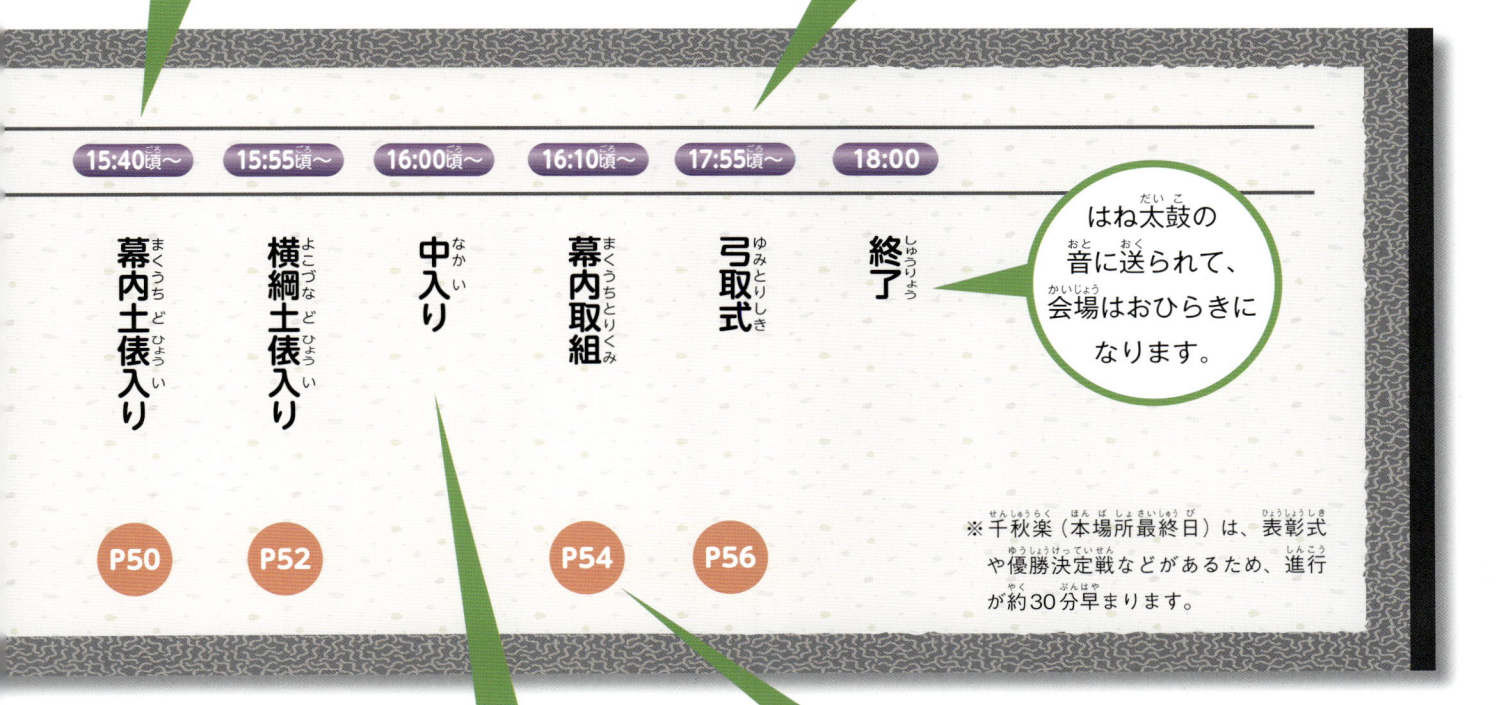

15:40頃～	15:55頃～	16:00頃～	16:10頃～	17:55頃～	18:00
幕内土俵入り	横綱土俵入り	中入り	幕内取組	弓取式	終了
P50	P52		P54	P56	

はね太鼓の音に送られて、会場はおひらきになります。

※千秋楽（本場所最終日）は、表彰式や優勝決定戦などがあるため、進行が約30分早まります。

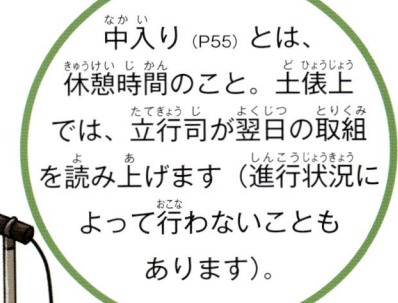

中入り(P55)とは、休憩時間のこと。土俵上では、立行司が翌日の取組を読み上げます（進行状況によって行わないこともあります）。

幕内取組

ついに幕内力士の対戦！　番付上位の力士たちによる、手に汗握る取組が行われます。

本場所の一日
前相撲〜幕下取組

本場所の一日は、入門したばかりの新弟子による前相撲から始まります。続いて序ノ口→序二段→三段目→幕下と、番付の下から順に取組が行われていきます。みな関取を目指して、全身全霊をかけて挑みます。

8 : 25頃～ 前相撲

相撲部屋に弟子入りし、新弟子検査に合格すると、初土俵となる「前相撲」に参加できます。翌場所の序ノ口での地位をかけて取組を行います。

前相撲は本場所2〜3日目から行われます。一日に1番ずつ、3勝するまで行います。【2017年（平成29年）3月場所の取組】

46

幕下の取組までは観客席もまばらです。【2017年（平成29年）7月場所】

8：35頃〜

序ノ口・序二段・三段目・幕下の取組

十両以上は本場所15日間、毎日取組がありますが、幕下以下の力士は15日間のうち7日（7番）しか取組がありません。初日は8時25分頃から、13日目以降は10時頃から始まります。

まだ髷が結えない力士も登場します。【2017年（平成29年）3月場所】

新序出世披露。【2017年（平成29年）3月場所】

12：50頃〜　中日のみ

新序出世披露

中日には、前相撲を終えた新弟子たちが、師匠や兄弟子から借りた化粧まわしを締め、土俵の上で披露されます。

豆知識

学校の卒業シーズンにあたる3月場所は、新弟子の人数が多いため、前相撲は2班に分かれて行われ、2勝で勝ち抜けとなります。そのため成績がよかった順に、5日目に1番出世、9日目に2番出世と呼ばれ披露されます。

本場所の一日
十両土俵入り・十両取組

十両以上の力士は、取組前に「土俵入り」を行います。髪は大銀杏、華やかな化粧まわし姿で土俵を一周します。「土俵入り」が終わると、十両の力士同士の取組が始まります。

大相撲の舞台

十両の取組。【2017年（平成29年）7月場所】

行司に先導されて、番付の低い力士から順に土俵入りします。奇数日は東方の力士たちが、偶数日は西方の力士たちが先に土俵に上がります。土俵入りの東西は番付表の東西ではなく、その日の取組によって変わります。土俵上では右手を上げたり、柏手（P65）を打ったりといった動作（P51）を行いますが、これは横綱土俵入りの所作を簡略化したものです。

十両土俵入り。【2017年（平成29年）7月場所】

取組準備

土俵入りでは化粧まわしを締めますが、取組では締込（P27）をつけるため、着替えをする時間が必要です。そのため、十両土俵入りは、幕下の取組が終わる5番前に行われています。

チェンジ！

14：35頃〜 **十両取組**

十両になると、取組前に塩をまきます。塩をまく量に決まりはありません。少量をまく力士もいれば、山盛りの塩を土俵が真っ白になるほど豪快にまく力士もいます。

豆知識

力士が土俵の上でまく塩は、1場所あたり、およそ600kgと言われています。

本場所の一日
幕内土俵入り

いよいよ、幕内力士の登場です。前頭の下位より、小結、関脇、大関の順に土俵に上がります。人気力士が化粧まわしをつけて勢揃いする土俵入りは実に華やかで、観客も盛り上がります。

幕内力士が勢揃い　幕内土俵入りでは、横綱を除く幕内力士が土俵に上がります。このとき行司が四股名、出身地、所属部屋を場内アナウンスします。

幕内土俵入り。【2017年（平成29年）7月場所】

大相撲の舞台

十両・幕内力士　土俵入りの流れ

十両と幕内の土俵入りは、横綱土俵入りの所作を簡略化したものですが、邪気を払い清めるという意味は同じです。

1 行司に先導されて、番付の下の順から土俵に上がります。左回りにゆっくりと歩き、土俵を背にして立ちます。最後尾の力士が「シー」という声を出します。

2 全員が土俵に上がったら、いっせいに土俵の内側を向きます。

豆知識

「シー」というのは、不敬（敬意を払わないこと）の念をいだかないように観客に警告する、「警蹕」という所作です。

3 塵浄水 (P65) の代わりに柏手を打ちます。

パン‼

塵浄水とは、手を清める水がないときに、草をちぎったり空気を手でもむようにしたりして清める行為です。

4 右手を上げます。

サッ

5 両手で化粧まわしのすそを持ち上げます。

四股 (P64) を踏む代わりです。江戸時代は四股を踏んでいましたが、人数が増えたため、簡略化しました。

6 両手を高く上げます。

武器は持っていないということと、四股が終了したことを知らせます。

本場所の一日
横綱土俵入り

横綱の土俵入りは、大相撲の見どころのひとつです。横綱が「太刀持ち」と「露払い」を従えて土俵に上がる姿は、圧倒的な風格が漂います。四股を踏むたびに、観客から「よいしょー！」というかけ声がかかります。

力みなぎる、堂々の土俵入り

横綱が土俵入りするときには、右に「太刀持ち」、左に「露払い」の力士を従えます。太刀持ちと露払いがつけている化粧まわしは横綱とセットのデザインで、三つ揃いです。土俵入りの型は、横綱本人が部屋の師匠と相談して決めます。

「太刀持ち」「露払い」役はともに、横綱と同じ部屋の幕内力士が務めます（ただし関脇以下）。部屋に幕内力士がいない場合は、同じ一門（P136）から選出します。太刀持ちは露払いよりも、格上の力士が担当しています。

太刀持ち

横綱

露払い

豆知識

横綱が土俵入りで締めている綱も、「横綱」と言います。横綱は長さが4〜5m、重さは10〜15kgほどもあります。

横綱・白鵬の土俵入り。【2017年（平成29年）7月場所】

大相撲の舞台

横綱土俵入りの所作は2種類

土俵入りの所作には「雲龍型」「不知火型」があります。第10代横綱・雲龍と、第11代横綱・不知火の型が美しかったことから名づけられました。

雲龍型

左腕は曲げて腹の近くに当て、右手は横に伸ばしてせり上がります。左腕は守りを、右腕は攻めをあらわしています。綱の輪はひとつです。
（第58代 千代の富士、第65代 貴乃花、第71代 鶴竜など）

綱の輪がひとつ

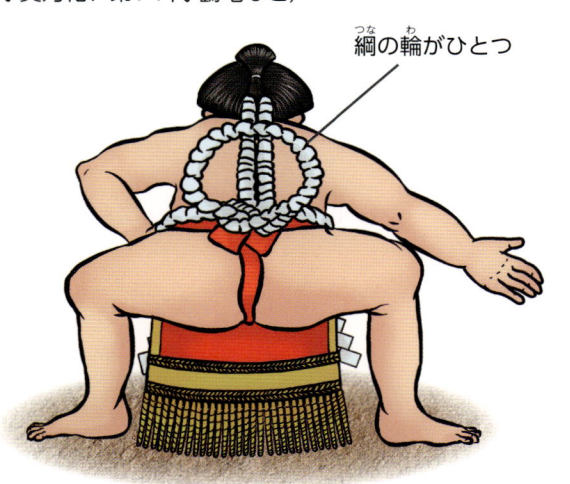

不知火型

両腕を大きく外側に広げてせり上がります。広げた両腕は攻めをあらわしています。綱の輪はふたつです。
（第63代 旭富士、第66代 若乃花、第69代 白鵬など）

綱の輪がふたつ

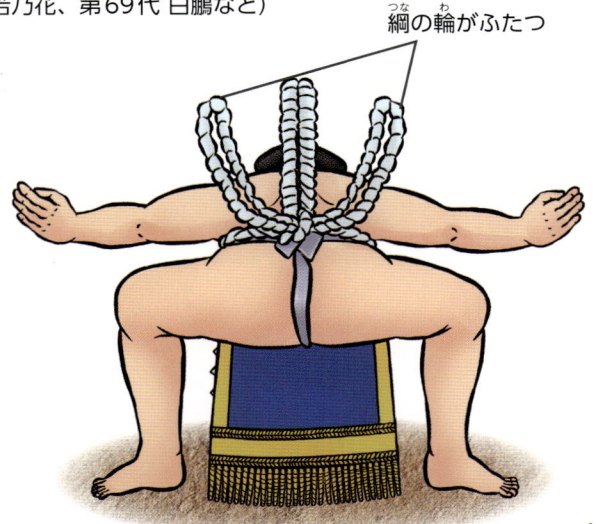

横綱土俵入りの流れ

① 入場し、二字口（P137）で柏手を打ち、塵浄水を切る。

② 土俵中央に進み、正面を向いて柏手を打つ。

③ 右で四股を踏んでせり上がり、再び右、左で四股を踏む。

④ 二字口に下がり、再び柏手を打ち、塵浄水を切って退場する。

本場所の一日
幕内取組

横綱土俵入りのあとは、中入りを挟んでいよいよ幕内力士の取組が始まります。鍛え抜かれた上位力士同士の対戦は、迫力満点です。本場所後半には、誰が優勝するのかが見どころになります。

幕内取組

幕内取組は、毎日約20番ほど行われます。同部屋の力士とは対戦しません (P61)。本場所最後の千秋楽 (P58) の取組後に、勝ち星（勝利数）がもっとも多い力士が幕内最高優勝となります。

大関・髙安対前頭・北勝富士戦。
【2017年（平成29年）7月場所】

大相撲の舞台

土俵上の取組以外の見どころ

幕内取組の合間に行われる、古くからの習わしも見どころです。

中入り

横綱土俵入り後、幕内取組前までの約15分の休憩時間のことで、立行司が土俵に立ち、次の日の取組を読み上げることがあります。それを「顔触れ言上」と言います。

17:15頃〜　千秋楽のみ

三役揃い踏み

千秋楽に、結び三番を残したところで行われます。「これより三役」という言葉がかかると、これから取組を行う力士のうち、まず東方の力士3名が土俵に上がります。正面に向かって前ふたり、後ろひとりで扇形をつくり、揃って四股を踏みます。続いて西方の力士が前ひとり、後ろふたりで扇形をつくり、揃って四股を踏みます。

どすこいメモ！

三役揃い踏みの「三役」とは？

「三役」は本来、大関、関脇、小結のことをさしますが、ここでの「三役」とは、残り3番を取る力士、つまり、上位6名を意味します（東方3名、西方3名）。それまでの勝ち星の数によりますが、横綱、大関を始め、優勝候補の力士が勢揃いします。

17:50頃〜　結びの一番

その日の最後に行われる取組のことで、基本的に横綱が登場します。取組前には呼出が「とざい、とーざいー（東西）」と呼び上げたのち、行司が「番数も取り進みましたるところ、かたや●●山（東の力士名）、●●山、こなた○○海（西の力士名）、○○海、この相撲一番にて本日の打ち止め（結び）」と「結びの触れ」の口上を述べるのが習わしです。

※三役未満の力士には「かたや」、「こなた」はつけません。また、そのとき、名前は一度しか呼びません。

横綱・白鵬対小結・琴奨菊による結びの一番。【2017年（平成29年）7月場所】

本場所の一日

弓取式

結びの一番が終わると、一日の締めくくりとして、弓取式が行われます。
かつては取組で勝ち星をあげた力士が行っていたとも言われていますが、
その起源は不明で、現在では、作法を心得た専門の力士が行っています。

弓取式 以前は千秋楽だけに行われていましたが、1952年（昭和27年）の5月場所から毎日行われる
ようになりました。華麗な弓さばきを、より多くの人に見てもらおうという理由からです。

弓取式の力士は、「結びの一番」で東
方の力士が勝つと東から、西方の力士
が勝つと西から土俵に上がります。写
真は聡ノ富士による弓取式。【2017
年（平成29年）7月場所】

弓取式の習わし

弓取式にまつわる古くからの言い伝えや作法を見てみましょう。

弓を振り回す理由

平安時代の宮中行事である「相撲節会」(P124)で、勝った力士がほうびにもらった弓で舞ったのが始まりと言われていますが定かではありません。江戸時代の名横綱・谷風が、上覧相撲(将軍が観戦すること)で行った所作が原型とも言われています。

弓取式を行う力士とは

横綱(横綱不在のときは大関)と同部屋の、幕下以下の力士が務めます。本来は大銀杏を結えませんが、弓取式のときは大銀杏を結って化粧まわしを締めることが許されます。

豆知識

「弓取式を行った力士は関取になれない」と言われていましたが、九重部屋の巴富士は1990年(平成2年)5月場所まで弓取を務め、同じ年の7月に十両に昇進したのち、小結まで出世しました。これが弓取出身力士の最高位です。

18:00

終了

櫓の上から呼出が叩くはね太鼓の音が響き渡ると、本場所の一日が終了します(「打ち出し」(P136)と言う)。軽快な音に送られながら、観客は会場をあとにします。

どすこいメモ！ 弓を落としても、手で拾わない

豪快に弓を振り回すので、ときには弓を落とすこともあります。そのときは手で拾わず、足で弓を跳ね上げてつかみます。これは、土俵に手をつくと負けにつながるためと言われています。

千秋楽
せんしゅうらく

大相撲本場所の最終日を「千秋楽」と呼びます。幕内、十両、幕下、三段
目、序二段、序ノ口それぞれの優勝者と三賞（P18）受賞者が表彰されます。
最高成績者が複数出た場合は、優勝決定戦を行うなど、千秋楽は本場所の
なかで一番盛り上がる一日と言えます。

幕内優勝し、表彰式で賜杯を贈られる横綱・白鵬。
【2017年（平成29年）7月場所】

優勝決定戦

本場所では、「幕内」をひとつのグループとして優勝を争います。
十両以下は各番付ごとに優勝者を決定します。幕内の場合、勝
ち星数がもっとも多い力士が複数いるときは、結びの一番終了
後に10分間の休憩をはさんだあと、優勝決定戦を行います。

横綱・稀勢の里対大関・照ノ富士の優勝決定戦。
【2017年（平成29年）3月場所】

優勝力士のスケジュール

幕内優勝が決まった力士は、表彰式のほかにもいそがしいスケジュールをこなします。

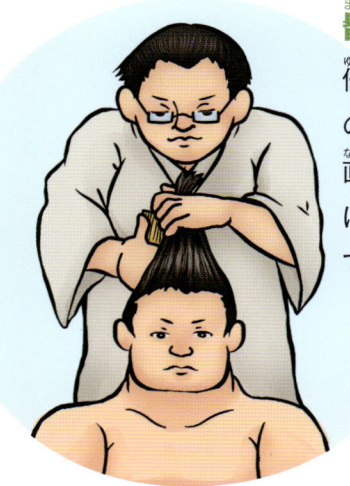

髷を結い直す

優勝力士は優勝決定後に、東方の支度部屋の一番奥で髷を結い直します。当日は西方から土俵に上がっていても、東方に移って支度をします。

いざ、表彰式へ

幕内優勝力士には天皇賜杯と、日本相撲協会から優勝旗が授与されます。

記念撮影

東方の支度部屋に戻り、優勝力士は天皇賜杯を抱き、後援者と記念撮影します。

豆知識

優勝した力士に贈られる賜杯は銀製で、高さ107cm、重さは29kgです。口径は33.3cmあり、容量は36ℓです。東京での本場所期間中は、両国国技館のエントランスホールに飾られています。

優勝パレード

オープンカーに乗り込み、大勢のファンの歓声に応えながらパレードを行います。車に乗り込むのは優勝力士と優勝旗を持った旗手、部屋の関係者です。旗手は、同じ部屋の十両以上の関取が務めますが、いない場合は一門の関取が務めます。

星取表の見方

本場所の取組の勝敗は「星取表」であらわします。毎日、日本相撲協会が作成して発表されますが、場所中は速報として新聞やインターネットにも掲載されます。本場所終了時の星取表を基にして、翌場所の番付が編成されます。

丸の色で勝敗をあらわす

勝ちを「〇（白星）」、負けを「●（黒星）」で記します。丸の下には対戦相手の名前（略名）が書かれています。

幕内優勝と三賞受賞者

幕内優勝者の四股名、成績、優勝回数と、三賞を受賞した力士の四股名と賞の名前、受賞回数が記されています。

そのほかの記号

休場したときは「や」と記されます。引き分けの場合は「×」、痛み分け（P136）（ケガや病気などの悪化により、取組が継続できないとき）は「△」ですが、これはごくまれにしか出ません。また、不戦敗は「■」、不戦勝は「□」で記します。

力士の情報

四股名と成績、所属部屋、出身地、年齢が記されています。

十両以下の情報

十両以下、序ノ口まで各番付の優勝者の四股名と成績、所属部屋が記されています。

名古屋場所星取表

2017年7月9日～23日　愛知県体育館

優勝　**白　鵬**（14勝1敗　39度目）

殊勲賞　御嶽海（2）
敢闘賞　碧山（2）
技能賞　該当者なし

東

四股名	成績	所属部屋	出身地	年齢	番付
白鵬	14勝1敗	宮城野	モンゴル	32	横綱
稀勢の里	2勝4敗	田子ノ浦	茨城	31	横綱
照ノ富士	1勝5敗	伊勢ヶ浜	モンゴル	25	大関
高安	9勝6敗	田子ノ浦	茨城	27	大関
玉鷲	7勝8敗	片男波	モンゴル	32	関脇
嘉風	9勝6敗	尾車	大分	35	小結
正代	5勝10敗	時津風	熊本	25	前1
栃ノ心	9勝6敗	春日野	ジョージア	30	同2
勢	4勝11敗	伊勢ノ海	大阪	30	同3
宇良	7勝8敗	木瀬	大阪	25	同4
千代翔馬	5勝10敗	九重	モンゴル	25	同5
逸ノ城	7勝8敗	湊	モンゴル	26	同6
貴ノ岩	6勝9敗	貴乃花	モンゴル	27	同7
碧山	13勝2敗	春日野	ブルガリア	31	同8
徳勝龍	4勝11敗	木瀬	奈良	30	同9
千代大龍	10勝5敗	九重	東京	28	同10
千代の国	8勝7敗	九重	三重	27	同11
荒鷲	8勝7敗	峰崎	モンゴル	30	同12
宝富士	9勝6敗	伊勢ヶ浜	青森	30	同13
佐田の海	8勝7敗	境川	熊本	30	同14
錦木	8勝7敗	伊勢ノ海	岩手	26	同15
臥牙丸	3勝12敗	木瀬	ジョージア	31	同16

西

四股名	成績	所属部屋	出身地	年齢
日馬富士	11勝4敗	伊勢ヶ浜	モンゴル	33
鶴竜	2勝2敗	井筒	モンゴル	31
豪栄道	7勝8敗	境川	大阪	31
御嶽海	11勝4敗	出羽海	長野	24
琴奨菊	8勝7敗	佐渡ヶ嶽	福岡	33
貴景勝	勝	貴乃花	兵庫	20
北勝富士	8勝7敗	八角	埼玉	25
遠藤	2勝3敗	追手風	石川	26
輝	5勝10敗	高田川	石川	23
栃煌山	12勝3敗	春日野	高知	30
阿武咲	10勝5敗	阿武松	青森	21
大栄翔	5勝10敗	追手風	埼玉	23
石浦	8勝7敗	宮城野	鳥取	27
隠岐の海	5勝10敗	八角	島根	31
松鳳山	7勝8敗	二所ノ関	福岡	33
大翔丸	7勝8敗	追手風	大阪	26
豪風	7勝8敗	尾車	秋田	38
蒼国来	6勝9敗	荒汐	中国	33
琴勇輝		佐渡ヶ嶽	香川	26
千代丸	9勝6敗	九重	鹿児島	26

十両　大奄美（11勝4敗　追手風）
幕下　矢後（7戦全勝　尾車）
序二段　炎鵬（7戦全勝　宮城野）
三段目　福轟力（7戦全勝　荒汐）
序ノ口　友風（7戦全勝　尾車）

2017年（平成29年）7月場所で新聞に掲載された星取表を基に作成。

Q 取組相手って誰が決めるの？

A どの力士と力士が取組を行うのかは、取組編成会議で決めます。会議に出席するのは審判部長、副部長、審判委員、そして書記役の行司です。

Q 幕下以下の取組の回数は？

A 幕下以下の取組は幕内の取組の約半分、つまり7番（7回）です。だいたい2日に1番のペースとなり、最後の7番目は、13日目から千秋楽（最終日）のいずれかに組まれます。

Q いつ取組相手が発表されるの？

A 本場所は15日間ありますが、最初から15日間すべての取組が決まっているわけではありません。初日と2日目は、初日の2日前に決定。3日目以降の取組は前日に決まります。

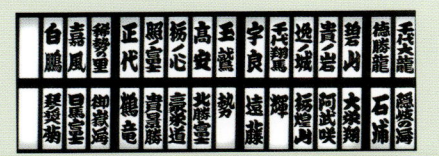

Q 同じ部屋の力士同士が戦うことはあるの？

A 昔は同じ部屋同士の力士が戦うこともありましたが、いまは原則としてありません。また、同じ部屋でなくても兄弟同士（義兄弟の場合も）など4親等以内の力士同士も取組を行わないことになっています。ただし、優勝決定戦だけは別です。

Q どうして一度に全部決めないの？

A 幕内力士は42名以内と定められていますが、ひとりの力士の対戦相手は15名で、全員と戦うわけではありません。そのため取組は、開催中の成績を基準に本場所が盛り上がるように編成会議で決定していきます。また、休場者が出た場合に不戦勝が増えるのを防ぐというのも、理由のひとつです。

3章 大相撲のルール

相撲のルールはとてもわかりやすく、「相手を土俵から出すか、相手の足の裏以外の一部を土俵につける」と勝ちとなります。独特の緊張感が魅力の大相撲の取組ですが、立合いの瞬間にほとんどの勝負が決まると言われています。

前頭・遠藤対前頭・宇良戦。【2017年（平成29年）7月場所】

土俵上の作法

力士が取組前に行う所作は、そのひとつひとつに、昔から言い伝えられている意味があり、伝統となって現代まで受け継がれてきたものです。ここでは、土俵上の作法を順に見ていきましょう。

①

土俵に上がり、一礼

四股名を呼ばれた力士は、土俵に上がって礼をします。

②

四股を踏む

右、左と四股を踏みます。四股は、大地の邪気を払うための神事から始まったと言われています。

③

力水をつける

力水で口をゆすぎます。けがれを洗い流し、身を清める意味があります。前の取組の勝ち力士か、次の取組の控え力士からひしゃくの水を受け取るのが習わしで、力水をつけるのは十両以上からです。

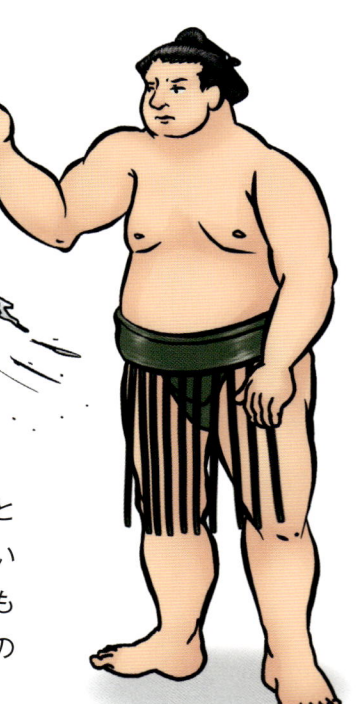

④

塩をまく

神聖な土俵を清めるとともに、ケガをしないように神に祈る意味もあります。塩をまくのも十両以上からです。

⑤ 蹲踞する

蹲踞とは、背筋をまっすぐ伸ばしたまま腰を深く落とし、ひざを開いて、つま先立ちになる姿勢のこと。相手や土俵に対して敬意をあらわします。

⑥ 柏手を打つ

もみ手をしたあと、柏手を打ちます。もみ手とは、両手をもむようにしてすり合わせること。柏手とは神を拝むときにする所作で、両手のひらを打ち合わせることを言います。蹲踞の形は保ったままです。

⑦ 塵浄水を切る

蹲踞のまま両手を大きく広げ、手のひらを上に向けます。肩の高さまで上げたら、手のひらを下に向けます。この動作を塵浄水と言います。手を清め、武器を持っていないことをあらわします。

⑧ 四股を踏む

蹲踞から立ち上がり、仕切り線まで進みます。右、左と四股を踏みます。

取組が終わったら

勝敗が決まったら、力士は一礼をして土俵を降ります。

⑨ 仕切りに入る

行司の「構えて」の声を合図に、仕切り (P68) に入ります。両力士の立合いの息が合わないときは塩まきと仕切りを繰り返します。制限時間内にタイミングを合わせて立合い、取組をスタートさせます。

豆知識

勝負が決まった瞬間、行司が持っている軍配 (P94) で勝ち力士をさし示しますが、これを「軍配が上がる」と言います。また、勝ち力士の四股名を呼び上げることを「勝名乗り」と言います。

勝負を決める基本のルール

相手を土俵から出すか、相手の足の裏以外の一部を土俵につけるか。相撲のルールは単純明快でシンプルです。体ひとつで相手と戦うわかりやすい勝負のなかにも、独特な決まりごとがあります。

小結・嘉風対前頭・碧山戦。【2017年（平成29年）7月場所】

力士の仕切りには制限時間があります。幕内は4分、十両は3分、幕下以下は2分以内です。制限時間は、呼出が東西の力士の名を呼び終わると審判委員の時計係が計り始めます。

こんなときは負け！

足裏以外の体の一部が、土俵に触れる

土俵内で立合い、勝負が始まったあと、足の裏以外の体の一部が相手より先に土俵についた方が負けです。

髪の毛が触れてもダメ

頭が低い体勢になったとき、髪の毛が土俵に触れても負けです。

体の一部が、土俵の外についたとき

土俵の外に、体のどこかが少しでもついたら、負けになります。土俵際では、土俵外の砂に足がつかなければ、俵の上を歩いても、俵の上から足先やかかとが外に出ても、負けにはなりません。

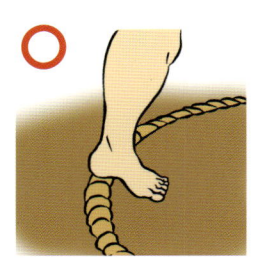

◯ 俵の上

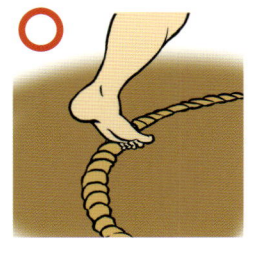

◯ 浮いている

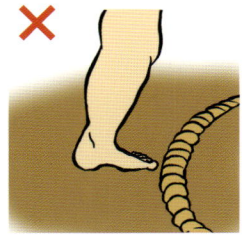

✕ 土俵外の砂につく

こんなときも負けになる

● まわしが外れたとき。俗に「不浄負け」と呼びます。
● 仕切りの制限時間のあとに、土俵外に出たとき。
● 立合いで故意に立たないことを、行司や審判委員が認めたとき。
● その他反則（P70）をおかしたとき。

67

仕切りと立合い

取組で、土俵の中央部にある仕切り線を前に、互いの呼吸を探り合い、精神を統一することを「仕切り」と呼びます。また、呼吸が合うと同時に一気に立ち上がる、取組を始める瞬間のことを「立合い」と言います。

1 仕切り

土俵の中央にある2本の仕切り線で向き合います。

2 両手をつく

立合いの直前、両者は互いに呼吸を合わせて両手をつきます。素早くついたり、ゆっくりついたり、手のつき方は力士によってさまざまです。

3 立合い

両者が土俵に両手をついた瞬間から取組が始まります。手をつくタイミングが遅れてしまうと、不十分な体勢で相手にぶつかり、一気に不利になってしまいます。

バッ！

どすこいメモ！ 「待った」

タイミングが合わず、片方の力士だけが両手をついて立った場合など、立合いが不成立と見なされたときは、行司から「待った！」の声がかかりやり直しになります。両者の呼吸を合わせるのも、行司の重要な仕事のひとつです。力士自らが息が合わないことを理由に「待った」をかけることもあります。

待った！

立合いの主導権は「当たり」で決まる

立合いの直後に、体がぶつかるさまを「当たり」と言います。力士は立合いの瞬間にも大きな駆け引きをしています。頭や胸からぶつかる「当たり」が一般的ですが、ここではさまざまな「当たり」の例を見てみましょう。

張り差し

平手で相手の顔をパチンと張ってひるませ、相手の突進を弱めて自分の有利な型にもっていきます。

変化

立った瞬間やぶつかった瞬間に左右へ動いて、突っ込んでくる相手をサッとかわします。

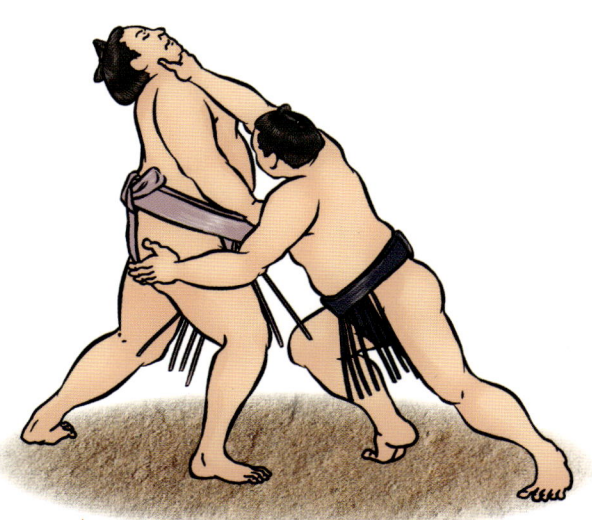

のど輪

人差し指と親指でつくったY字型の手を、相手ののどにグッと当て押し込みます。相手をのけぞらせることができます。

かち上げ

脇を固めるようにひじを曲げた状態で、相手の胸からあごのあたりを下からガツンと突き上げて上体を起こします。

反則になる「禁じ手」

大相撲では、反則になる「禁じ手」が8つあります。禁じ手を使うと、ルール違反として「反則負け」になるか、取組をもう一度やり直さなければなりません。

1 握りこぶしで殴る

ボクシングのように殴ってダメージを与えてはいけません。

ボコッ‼

絶対に 8つの

2 目やみぞおちなど急所を突く

人体の急所を攻めるのは、とても危険なのでいけません。

ドスッ

3 のどをつかむ

片手をのどに当て、押し込む「のど輪」（P69）はOKです。

ギュぅッ

おえぇぇ....

④ 両耳を同時に両手のひらで張る

鼓膜が破れるおそれがあるので反則です。

⑤ 指を折り返す

指の骨は細くて簡単に骨折するため、ねらって攻撃してはいけません。

ダメ！禁じ手

⑥ 髪の毛を故意につかむ

髪の毛をつかんではいけません。ただし意図的でなければ、反則にはなりません。

⑦ 前袋をつかむ

横から指を入れて引いたり、わざとまわしが外れるように攻撃したりするのは反則です。

⑧ 胸や腹を蹴る

足を使っての胸や腹への攻撃は反則です。ただし足をねらった「蹴手繰り」（P81）などは使えます。

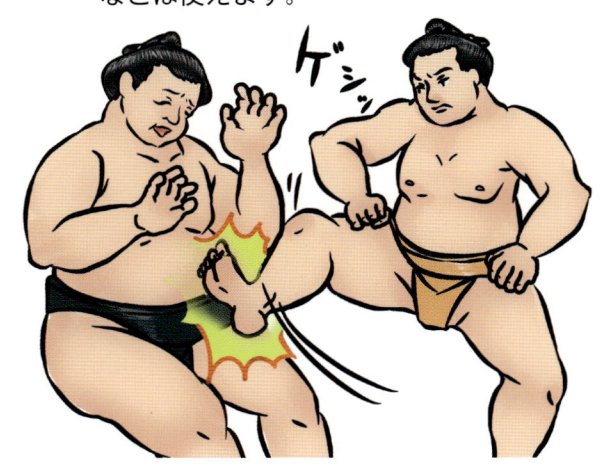

意外なルール

ここでは大相撲の意外なルールを紹介します。「水入り」「物言い」という特殊な場面に関するルールや、地面に先に落ちても負けにならない「かばい手」や「送り足」などの特殊なルールを解説します。

取組の途中に休憩【水入り】

長時間の取組で両力士に疲れが出たり、勝負に進捗が見られなくなったりしたとき、審判委員から合図を受けた行司が取組を中断させ、休憩を取らせることがあります。これを「水入り」と呼び、4、5分を超えた勝負が目安になります。行司や審判委員は力士の手足の位置や体勢をよく覚えておき、水入り後は両力士を元の状態に戻して取組を再開します。

豆知識

水入りの適用は十両以上の取組からです。幕下までは「二番後取り直し」となりますが、めったにありません。

再開前に力士の体勢を元に戻している行司の様子。

行司の判定にちょっと待った!

【物言い】

行司の判定に間違いがあると意見することを「物言い」と呼びます。物言いは、審判委員のほかに控えの力士もつけられますが、控え力士は協議に参加することはできません。

審判委員による物言いの協議の様子。

負けにならないルール① 【かばい手】

取組の際、相手に乗りかかりそうになった力士が、体勢が下の力士をかばうために、相手の体が落ちるより先に手をつく行為は「かばい手」とされ、負けにはなりません。かばい手が認められるのは、相手の体が重心を失い、自力では立て直しができない「死に体」(P136) のときです。相手の体が「死に体」でないときは、負けとなります。

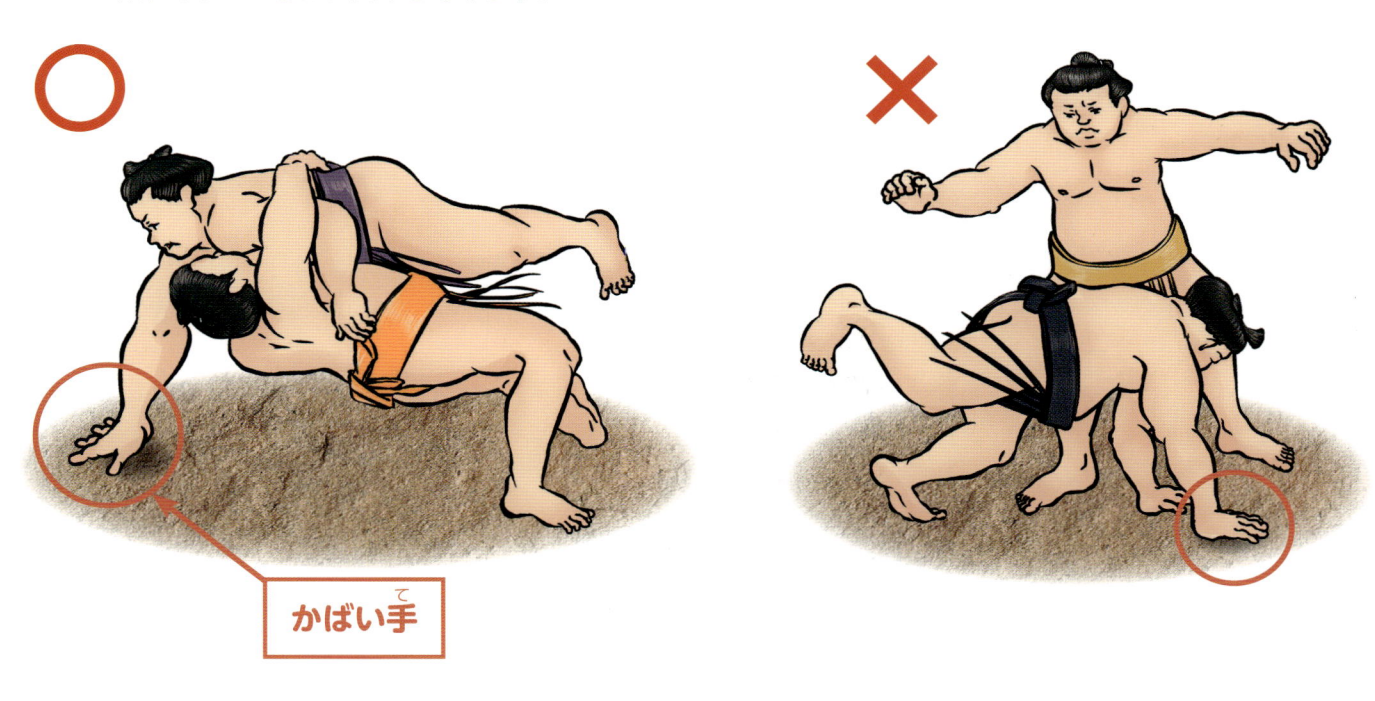

○

×

かばい手

負けにならないルール② 【送り足】

土俵際まで攻めたとき、相手を吊って持ち上げ、相手の足が完全に空中にある状態で先に自分の足が土俵外に出た場合は、「送り足」とされ負けにはなりません。ただし、相手の足がまだ土俵のなかか俵の上に残っているのに、勢いのあまり自分の足が出た場合は負けです（「勇み足」と言います）。

○

送り足

×

勇み足

相撲の型

相撲の取り口は大きくふたつの型に分けられます。頭から相手にぶつかったり押したりしていく「突き押し相撲」と、まわしを取るタイプの「四つ相撲」です。

突き押し相撲

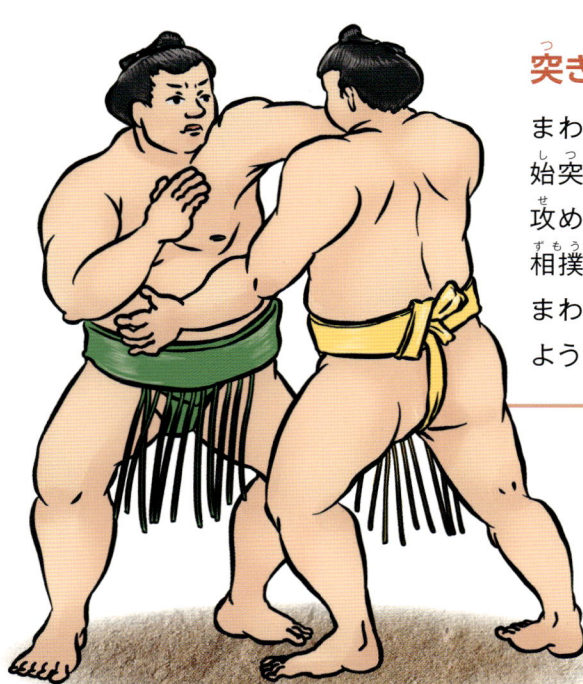

突き押し相撲

まわしを取らず、終始突きや押しだけで攻めるのが突き押し相撲です。相手にはまわしを取られないように立ち回ります。

突き押し相撲のテクニック①

突っ張り

右手と左手を交互に前へ繰り出して相手を押します。素早く出すことで相手を近づけなくさせたり、相手の上体を起こして重心を高くしたりするなどの効果があります。腕の長い力士やすばしっこい力士が得意とします。

突き押し相撲のテクニック②

ハズ押し

親指とほかの4本指とで手をY字型に開き（ハズの手）、その手のひらを相手の脇下や脇腹に当てがい押していきます。手の形が矢筈（矢の羽根の部分）に似ていることからこの名がつきました。

四つ相撲

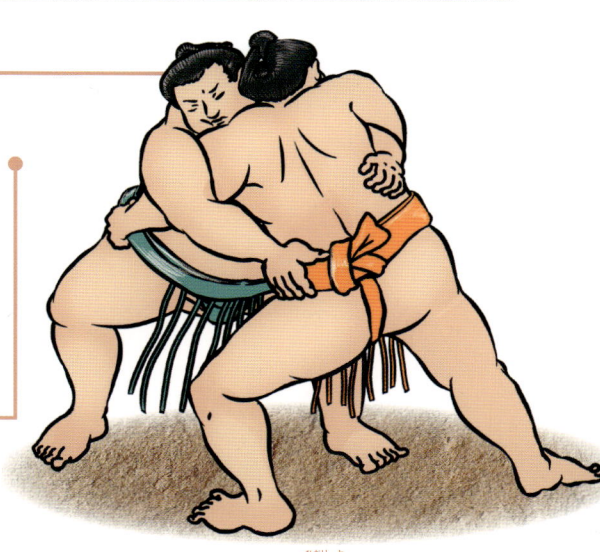

右四つ

右四つ・左四つ

右四つは、両力士が右腕を相手の左脇に差し込んでいる状態。その逆が左四つ。

左四つ

頭四つ

両力士が頭をつけて組んだ状態です。

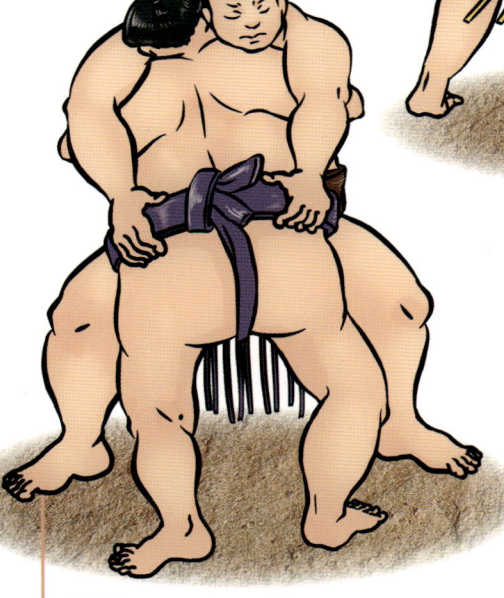

手四つ

両力士が離れて、手のひらを合わせてつかみ合う状態です。

外四つ・もろ差し

外四つは片方の力士が左右両手で上手(P136)を取っている状態。それに対し、相手力士が両腕を相手の脇に差し込んでいる状態をもろ差しと呼びます。

おもな決まり手

「決まり手」とは勝敗が決したときの技のことです。現在では、82手が定められています。一番多いのは「寄り切り」、その次は「押し出し」で、取組の約半分はこのふたつの決まり手で勝負がつきます。

寄り切り

四つに組んだ状態で、そのまま前に出て相手を土俵外に出す。相手が倒れれば「寄り倒し」になります。

押し出し

ハズの手（P74）で相手の脇の下や胸を押して土俵外に出します。相手が倒れれば「押し倒し」です。

突き出し

突っ張りながら足を踏み出し、相手をそのまま土俵の外へ出します。相手が倒れれば「突き倒し」になります。

上手投げ

相手の差し手（相手の脇の下に、自分の手を入れること）の外側からまわしを取って投げます。

下手 (P136) 投げ

差し手で相手のまわしを取って投げます。

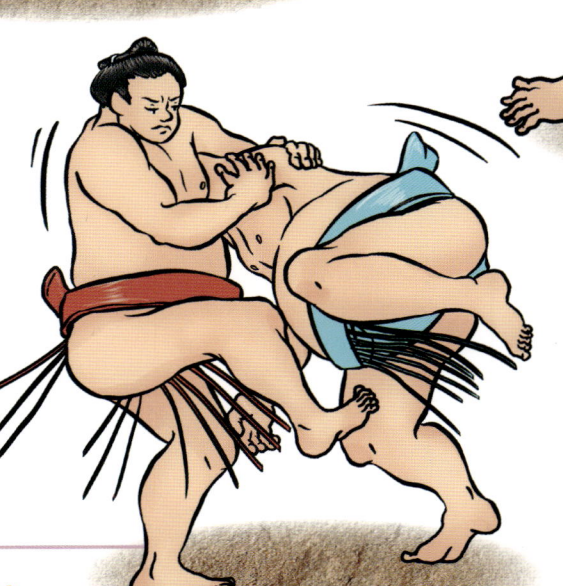

突き落とし

相手の横に回り、脇腹や肩を強く突いて土俵に落とします。

叩き込み

相手が低く出てきた場合などに、相手の肩や背中を叩いて土俵に落とします。

送り出し

相手の背後に回り込み、後方から押して土俵の外に出します。

珍しい決まり手

決まり手 (P76) のなかには「寄り切り」や「押し出し」などたびたび登場するもののほかに、めったに見ることのできない珍しいものも数多くあります。これを知っていると相撲通です。

一本背負い
相手の片腕を両手でつかみ、ふところに入って肩にかつぎ、前に投げ倒します。

居反り
体勢を低くして相手のひざを抱えながら、体を後ろに反らして後方に投げ落とします。

三所攻め
相手の足を外掛けか内掛けで攻め、手で相手の足を取るかすくって、頭で相手の胸を押すようにして倒します。

網打ち

両手で相手の差し手を抱え、体を開くと同時に相手を自分の後方へねじり倒します。漁師が投網を打つようなさまから、こう呼ばれています。

呼び戻し

相手を手前に呼び込み（引きつけ）、反動をつけるようにして差し手を返し、腕を前に突き出し相手を倒します。

うっちゃり

土俵際まで寄られた、または吊り出されそうになった力士が、腰を落とし体をひねって、相手を土俵の外へ投げます。

素首落とし

相手の首、または後頭部を上から手で叩き、相手を押しつぶすようにして前方へ落とします。

鯖折り

まわしを取って強く引きつけ、上からのしかかるようにして相手のひざを土俵につかせます。

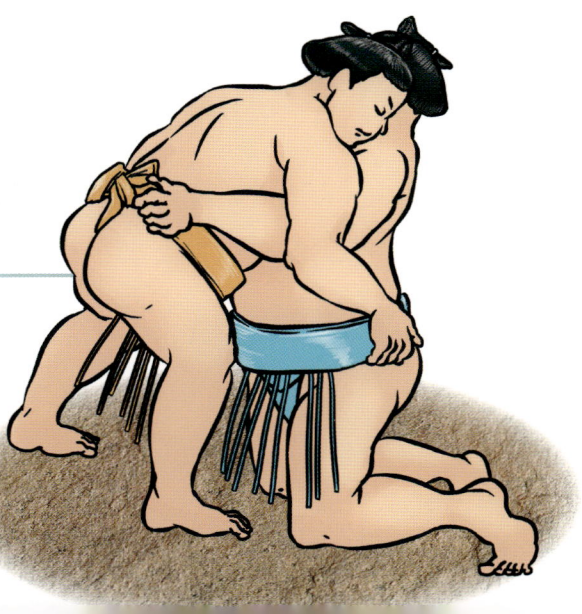

決まり手82手

1935年（昭和10年）に、日本相撲協会により制定された当時は56手だった決まり手ですが、1955年（昭和30年）には68手となり、現在では82手になっています。これは、相撲のスピード化が進み、これまでの決まり手にはあてはまらないものが出てきたことに対応するためです。これらの決まり手は、大相撲だけでなく、アマチュア相撲にも適用されています。

基本技 7手	突き出し	突き倒し	押し出し
	押し倒し	寄り切り	寄り倒し
	浴びせ倒し	上手投げ	下手投げ
投げ手 13手	小手投げ	掬い投げ	上手出し投げ

下手出し投げ （したてだしなげ）	腰投げ （こしなげ）	首投げ （くびなげ）
一本背負い （いっぽんぜおい）	二丁投げ （にちょうなげ）	櫓投げ （やぐらなげ）
掛け投げ （かけなげ）	つかみ投げ （つかみなげ）	掛け手 18手 （かけて18て） / 内掛け （うちがけ）
外掛け （そとがけ）	ちょん掛け （ちょんがけ）	切り返し （きりかえし）
河津掛け （かわづがけ）	蹴返し （けかえし）	蹴手繰り （けたぐり）
三所攻め （みところぜめ）	渡し込み （わたしこみ）	二枚蹴り （にまいげり）

小股掬い （こまたすくい）	外小股 （そとこまた）	大股 （おおまた）
褄取り （つまとり）	小褄取り （こづまとり）	足取り （あしとり）
裾取り （すそとり）	裾払い （すそはらい）	居反り （いぞり）
撞木反り （しゅもくぞり）	掛け反り （かけぞり）	たすき反り （たすきぞり）
外たすき反り （そとたすきぞり）	伝え反り （つたえぞり）	突き落とし （つきおとし）
巻き落とし （まきおとし）	とったり	逆とったり （さかとったり）

反り手6手（そりて）

捻り手19手（ひねりて）

肩透かし	外無双	内無双
かたすかし	そともそう	うちむそう

頭捻り	上手捻り	下手捻り
ずぶねり	うわてひねり	したてひねり

網打ち	鯖折り	波離間投げ
あみうち	さばおり	はりまなげ

大逆手	腕捻り	合掌捻り
おおさかて	かいなひねり	がっしょうひねり

徳利投げ	首捻り	小手捻り
とっくりなげ	くびひねり	こてひねり

特殊技 とくしゅわざ 19 手 て	引き落とし	引っ掛け	叩き込み
	ひきおとし	ひっかけ	はたきこみ

素首落とし （そくびおとし）	吊り出し （つりだし）	送り吊り出し （おくりつりだし）
吊り落とし （つりおとし）	送り吊り落とし （おくりつりおとし）	送り出し （おくりだし）
送り倒し （おくりたおし）	送り投げ （おくりなげ）	送り掛け （おくりがけ）
送り引き落とし （おくりひきおとし）	割り出し （わりだし）	うっちゃり
極め出し （きめだし）	極め倒し （きめたおし）	後ろもたれ （うしろもたれ）

呼び戻し （よびもどし）	
	非技（勝負結果）5手 （ひぎ しょうぶけっか て） 非技とは、力士の落ち度のため（ひぎ りきし お ど） に勝負の結果がついてしまうこ（しょうぶ けっか） とを言います。（い） ・勇み足（いさみあし） ・つき手（て） ・踏み出し（ふみだし） ・腰砕け（こしくだけ） ・つきひざ

決まり手につながる動き

競り合いのなかで、自分に有利な体勢をつくったり、相手の体勢を崩して決まり手につなげたりするような、いろいろな動きが登場します。ここでは立合いや決まり手で説明しきれなかった取組に関する言葉を紹介します。

出し投げ

相手のまわしを取ったひじを締め、自分の体を開き、相手を前方へ振り出すようにして投げます。

小手に振る

相手のひじ関節を伸ばすように差し手を抱え込み（「小手に巻く」と言う）、振り回します。

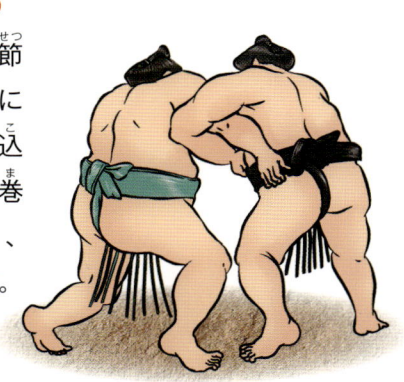

巻き替える

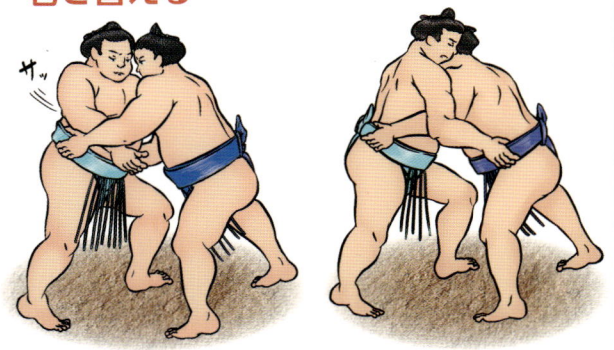

自分の上手を放し、下手に組み替える動作です。

腕を返す

上手投げなどを防ぐために、差し手のひじを返して大きく横に上げること。

極める

相手の両腕を外側から抱え込み、ひじ関節を伸ばして動きを取れなくします。

おっつける

相手の差し手を封じるために、自分のひじを相手の脇に押しつけます。「腕を返す」の逆です。

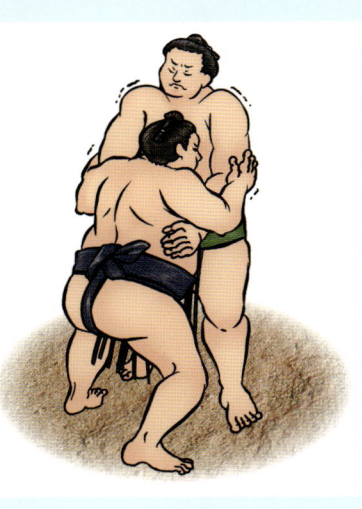

懸賞金

大相撲では取組の前に、土俵に企業広告の入った懸賞旗が並ぶことがあります。その取組には懸賞がかけられているという意味です。勝利した力士はのし袋に入った懸賞金を受け取ります。取組後の懸賞金ののし袋の受け取り方にも作法があります。

企業広告でもある懸賞旗

スポンサーとなる企業が懸賞を出す場合、1本6万2000円の懸賞を1日1本以上、1場所15本以上を出す決まりがあります。さらに懸賞旗の制作もスポンサー自ら行わなければなりません。

呼出が掲げる懸賞旗。【2017年（平成29年）7月場所】

懸賞を受け取るときの土俵作法

1

取組相手に礼

取組後は両力士が会釈程度に一礼して、勝った力士だけが土俵に残ります。

2

蹲踞して勝名乗り

徳俵の前で蹲踞（P65）して、行司から勝名乗りを受けます。懸賞がかかっていなければ、ここで土俵を降ります。

3

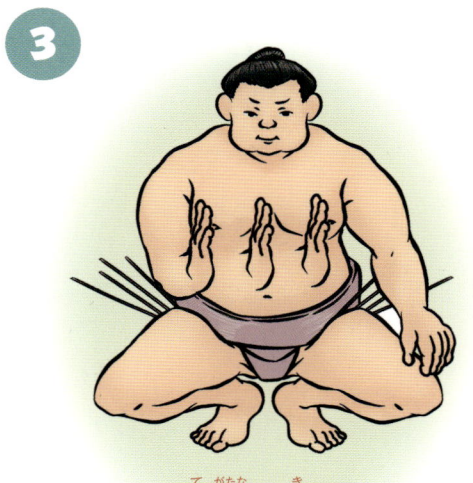

手刀を切る

行司が軍配に乗せて差し出す懸賞金ののし袋に対して、左、右、中央の順に手刀を切ります。手刀で「心」という字を書く力士もいます。

4

受け取る

手刀を切り終わったら、右手で懸賞金ののし袋をつかみ、受け取ります。

片手で持てないときは両手でOK!

ひとつの取組で懸賞は50本までと決まっています。のし袋の束が片手でつかめないほど多いときは、両手で受け取ります。

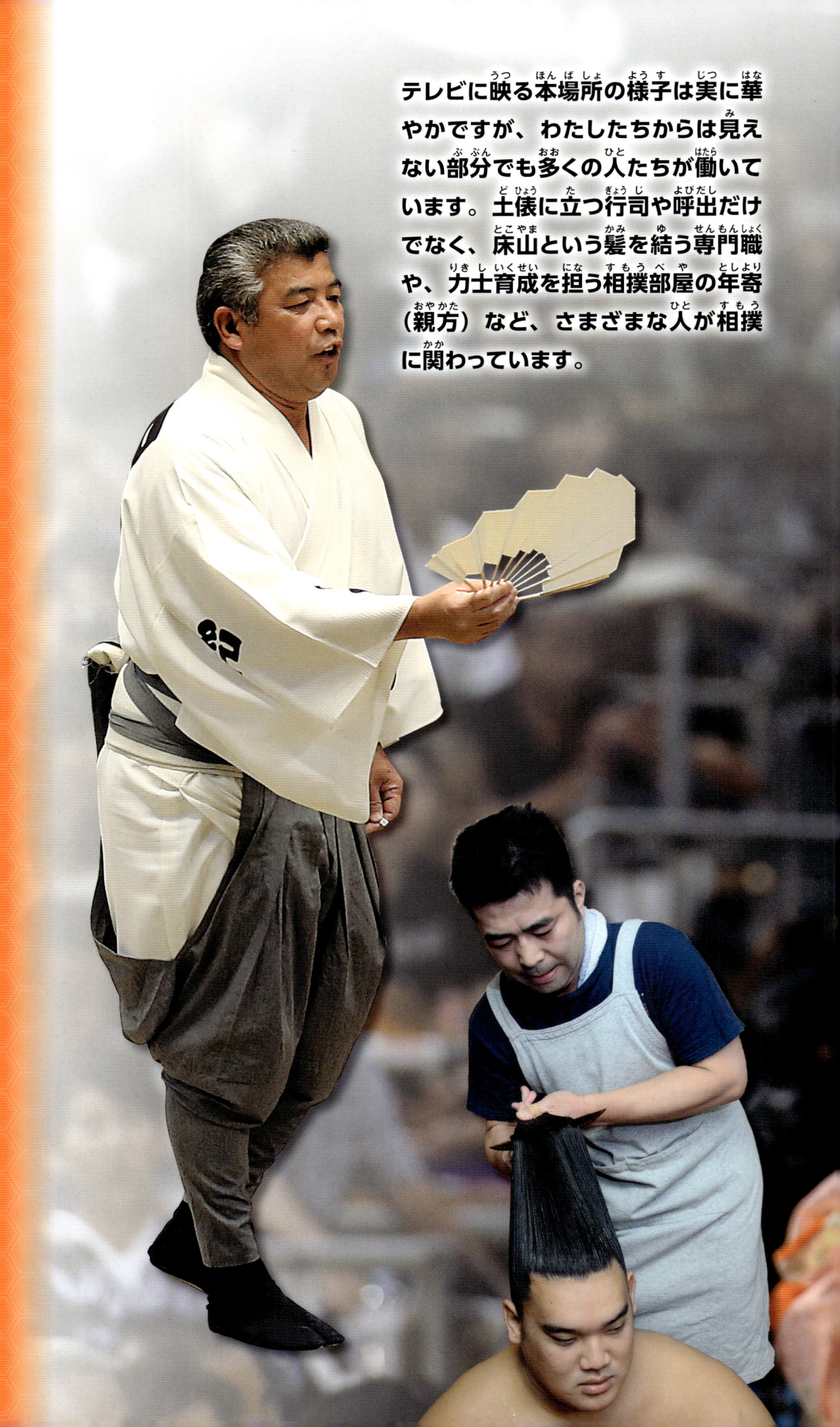

4章 大相撲を支える人たち

テレビに映る本場所の様子は実に華やかですが、わたしたちからは見えない部分でも多くの人たちが働いています。土俵に立つ行司や呼出だけでなく、床山という髪を結う専門職や、力士育成を担う相撲部屋の年寄（親方）など、さまざまな人が相撲に関わっています。

力士を支える人たち

大相撲では、総勢648名の力士（2017年［平成29年］11月現在）を、さまざまな人たちが支えています。その多くは日本相撲協会に所属しています。

年寄
定員 105 名以内

「親方」の正式名称です。弟子の育成や、協会の仕事をします。現役を引退した力士で、年寄名跡を得た人をさします。

若者頭
定員 8 名以内

十両・幕下力士が引退したあと、協会に採用され、力士養成員の監督指導や土俵上の進行補助などを行います。

世話人
定員 13 名以内

若者頭と同じく、十両・幕下力士が引退したあと、協会に採用されて仕事をします。出入り口での観客の世話、会場の駐車場の整理などを行います。

床山（とこやま）

定員（ていいん）50名以内（めいいない）

力士（りきし）の髷（まげ）を結（ゆ）う人（ひと）です。各相撲部屋（かくすもうべや）に所属（しょぞく）し、本場所（ほんばしょ）だけでなく巡業（じゅんぎょう）にも同行（どうこう）します。

行司（ぎょうじ）

定員（ていいん）45名以内（めいいない）

土俵上（どひょうじょう）で、取組（とりくみ）を裁（さば）き、勝負（しょうぶ）の判定（はんてい）にあたります。土俵入（どひょうい）りの先導（せんどう）や場内（じょうない）アナウンスも行（おこな）い、番付表（ばんづけひょう）も書（か）きます。

審判委員（しんばんいいん）

定員（ていいん）20名以内（めいいない）

取組（とりくみ）の際（さい）、土俵（どひょう）のまわりに5人（にん）座（すわ）っています。年寄（としより）のなかから理事長（りじちょう）により任命（にんめい）され、勝敗（しょうはい）のゆくえを見守（みまも）ります。勝負（しょうぶ）の判定（はんてい）に物言（ものい）いをつけることもあります。

呼出（よびだし）

定員（ていいん）45名以内（めいいない）

取組（とりくみ）を始（はじ）める合図（あいず）である呼（よ）び上（あ）げ(P98)のほか、土俵（どひょう）をはき清（きよ）めたり、塩（しお）の用意（ようい）をしたりします。太鼓（たいこ）を叩（たた）いたり、土俵築（どひょうつき）も行（おこな）ったりします。

まだまだたくさんの 人（ひと）たちが支（ささ）えている！

ほかに、日本相撲協会（にほんすもうきょうかい）の職員（しょくいん）、各相撲部屋（かくすもうべや）のおかみさん、各相撲部屋（かくすもうべや）の後援会（こうえんかい）の人（ひと）たち、地域（ちいき）の人（ひと）たちなど多（おお）くの人（ひと）が大相撲（おおずもう）を支（ささ）えています。

行司（ぎょうじ）

力士とともに土俵に立つことが許されている行司は、取組を進行し、勝負を判定する重要な役割を担っています。そのほかにも決まり手や力士を紹介する場内アナウンス、土俵祭の祭主役など、さまざまな仕事をこなしています。

取組の進行

土俵上で両力士の呼吸を合わせて、立合いに導きます。取組中は「はっきよい（発気揚々）」「のこった」（P134）などかけ声で奮起を促し、決着後は勝者に軍配を上げます。

幕内の取組を裁く行司。【2017年（平成29年）7月場所】

行司の役割

土俵入りの先導役

土俵入りで、関取の先導役を担います。横綱土俵入り（P52）では正面を向いて蹲踞し、軍配の紐房を2度回します。

行司の後ろに関取が続きます。

番付表を書く

番付表は、担当する行司がひとりで書き上げます。千秋楽の3日後に開かれる番付編成会議で翌場所の番付が決まると、縦約110cm×横約80cmのケント紙に、約2週間程度かけて書きます。できあがったら、約4分の1の大きさに縮小して印刷します。印刷部数は55万部程度です。

行司が書く文字は「相撲文字」と呼ばれる独特の書体で、文字のすきまができるだけなくなるように書くのが特徴です。

土俵祭の祭主

本場所初日の前日に行う「土俵祭」では立行司が祭主となり、15日間の安泰を祈願します。

立行司が神官の装束で祭をとり行います。

どすこいメモ！ 神送りの儀式

千秋楽に行われる「神送りの儀式」では、新序出世披露を受けた力士たちに行司や審判委員が胴上げされます。これは土俵上の神様を天上に送り出すという意味が込められています。

行司の衣装

豪華絢爛な武士装束を着た行司は、土俵を華やかにします。行司にも格付があり、それぞれ相撲部屋に所属しています。

立行司
わずか2名しか置かれない、行司の最高位です。立行司に昇進すると家名に応じて「木村庄之助」「式守伊之助」を襲名します。「木村庄之助」が格上で、結びの一番のみを裁きます。

烏帽子
帽子状のかぶり物。和装での礼服の場では正装となります。格付ごとにあごひもの色が違います。

直垂
着物衣装のことです。夏は薄手の麻素材、冬は厚手の絹素材です。

軍配
仕切りで制限時間いっぱいになったことを示したり、取組の勝者を示したり、大事な役目を果たします。たまご型、ひょうたん型の2種類の形状がありますが、現在ではたまご型が主流です。

脇差
立行司だけが携帯します。「軍配を差し違えたら（勝負判定を誤ること）切腹する」といった覚悟をあらわしています。

印籠
三役格行司・立行司だけが持てます。この写真では隠れて見えませんが、通常はひもの部分を帯にはさんで右側の腰から下げています。

履きもの
格付によって違います。立行司と三役格は足袋と草履を履いていますが、幕内格・十両格は足袋のみ、幕下格以下は素足です。

行司の格付は、装束や持ちものの違いで見分けることができます。

三役格行司

立行司との違いは、軍配の房が朱色であること。脇差は差していません。

幕内格行司

軍配の房の色が紅白で履きものは足袋。印籠は持っていません。

十両格行司

服装や持ちものは幕内格行司とほぼ同じで、軍配の房の色は青白です。

幕下格以下の行司

衣装の素材は木綿で、房の色は黒か青（緑）、足元は素足で半袴を着用します。

行司の装束と持ちもの

格付ごとに変わる、装束や持ちものを比較してみましょう。

格付	服の生地	軍配の房の色	履きもの	持ちもの
立行司		総紫か紫白	白足袋＋草履	脇差・印籠
三役格	冬は絹厚地 夏は麻薄地	朱		印籠
幕内格		紅白	白足袋	
十両格		青白		
幕下格				
三段目	木綿 （袴はひざ下まで まくり上げる）	黒か青（緑）	素足	
序二段				
序ノ口				

床山
（とこやま）

力士の髷を結う人を「床山」と呼びます。専用の道具を使って、力士の髷を美しく整えます。長い年月をかけて特別な技術を習得する必要があり、大銀杏を結えるまでには最低でも5年、丁髷だけでも3年はかかると言われています。

大銀杏を結う

十両以上の関取が結うことを許される「大銀杏」は、髷の先が銀杏の葉のように開いているのが特徴です。床山は前掻きや髷棒などの道具を使って、ていねいに形を整えていきます。

丁髷の結い方

❶ 髪に水分を含ませてもみほぐし、すき油をつけます。

❷ 束ねた髪をくしで整えたら、元結の片方の端を歯でかんで押さえ、しっかりと結びます。

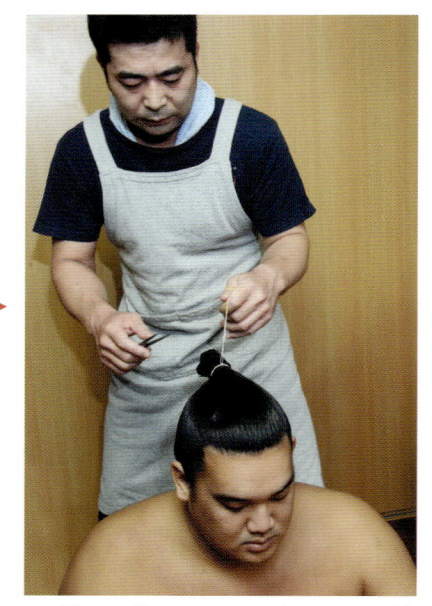

❸ 束ねた髪をふたつに折ったら、元結でもう一度しばり髷をつくります。

床山が使う道具

髷を結うための特別な道具を見てみましょう。

荒ぐし

そろえぐし

前掻き

梳きぐし

❶ くし
（上から）髷のもつれを取る「荒ぐし」、髪を結ったあとに使う「そろえぐし」、大銀杏の仕上げに使う「前掻き」、流れを整える「梳きぐし」と、用途に合わせてさまざまなくしを使い分けます。

❷ 元結
髪を束ねて根元の方を結ぶひものことを「元結」と呼びます。和紙をロウで固めてつくったとても丈夫なものです。

❸ 髷棒
大銀杏の鬢（左右と後ろ側のふくらんだ髪）を整えるための道具です。

❹ 握りばさみ
髪やひもを切るときに使うはさみです。美容師が使うはさみとは形状が違い、手のひら全体で握って使います。

❺ 先縛り
大銀杏の形を整えるために、仮でしばっておくための太いひもです。

❻ すき油（びんつけ油）
整髪やつや出しのために使います。独特の甘い香りが特徴です。

床山にも格付があります

床山は五等から特等まで6つの等級に分かれていて、等級における定員はありません。床山は日本相撲協会が採用し、各相撲部屋に配属します。

特等は1994年（平成6年）から新設され、勤続45年以上で年齢60歳以上の成績優秀者、または勤続30年以上45年未満で特に成績優秀な者がなることができます。

採用資格は義務教育を修了した満15歳以上19歳以下の男子で、定年は満65歳です。

格付	勤続年数
特等	勤続45年以上60歳以上 勤続30年以上45年未満
一等	勤続30年以上
二等	勤続20年以上30年未満
三等	勤続10年以上20年未満
四等	勤続5年以上10年未満
五等	勤続5年未満

呼出

「ひが～し～」などと、取組の前に独特な節で力士を呼び上げているのが「呼出」です。土俵をはく、塩の用意や補充をするなど、土俵まわりのさまざまな仕事をこなしています。

声や音で知らせる仕事

これから何が行われるか観衆に知らせます。

ひが～し～

櫓の上で太鼓を叩きます。

太鼓
本場所中の朝には「寄せ太鼓」、全取組が終わったあとには「はね太鼓」を打ちます。「寄せ太鼓」と「はね太鼓」は打ち方を変えています（はね太鼓は千秋楽には打ちません）。

呼び上げ
呼出が白い扇をかざし、東西の力士の四股名を呼び上げて取組が始まります。奇数日は東方から、偶数日は西方から呼び上げています。

拍子木
「柝」とも呼びます。

カン　カン

打ち出し
中入り（休憩時間）や幕内の土俵入り、結びの取組などを知らせるために拍子木を打ち鳴らします。

豆知識

ひざから下を細くして足元をすっきりと仕立てた、まるで忍者のような装束は、「たっつけ袴」と呼びます。活動に便利で、元は武士の旅行着、行商人や農民の仕事着として用いられていました。

土俵まわりの仕事

そうじや塩の用意など土俵に関する仕事も担います。

土俵をはき清める

力士たちが力を発揮できるように、取組が終わるたびに、ほうきで土俵をはき清めます。

ていねいに土俵をはき清めています。

ほかにも仕事がたくさん！

呼出の仕事はまだまだあります。土俵まわりでは力水用の水桶とひしゃく、口ふき用の紙の準備をします。また、取組前に懸賞旗を持って歩く、取組直前に力士にタオルを渡す、控えで待つ力士のための座布団を用意する、なども呼出の仕事です。

格付は9段階

序ノ口、序二段、三段目、幕下、十両、幕内、三役、副立呼出、立呼出の9段階に分かれています。十両は勤続15年以上、幕内は勤続30年以上、三役は勤続40年以上が必要で、全体の定員は45名です。

土俵築

土俵をつくるのも呼出の役目です。土俵は力士たちが力を入れやすい適度な固さが求められるため、繊細な感覚と技術が必要です。

塩の用意

十両以上の関取は取組の前に清めの塩をまきますが、その塩を準備するのも呼出です。

年寄

「年寄」は「親方」の正式名称で、「年寄名跡」を襲名した人をさします。相撲部屋での力士の育成や、本場所や巡業などの行事、日本相撲協会の運営に関する仕事に携わり、相撲界の発展を陰から支えます。

親方になる条件

「年寄名跡」を襲名するための条件は、日本国籍をもち、三役以上を1場所以上務めるか、幕内通算20場所以上、または幕内・十両を通算28場所以上務めることです。「年寄」にはほかに、特別に功績があった横綱に与えられる「一代年寄」があります。四股名のまま定年まで年寄として残れる資格で、相撲協会の理事会の議決で決定されます。

写真は一代年寄の北の湖親方（当時）。いままでに大鵬親方、貴乃花親方の計3人しかいません。

「部屋持ち親方」と「部屋付き親方」

親方には、自分の部屋を経営し、力士の指導・育成にあたる「部屋持ち親方（師匠）」と、ほかの親方が持つ相撲部屋に属して力士の指導をする「部屋付き親方」がいます。

そのほかの年寄の役割

●本場所のチケットもぎり

本場所中は、年寄が会場入り口で、観客のチケットのもぎりを行っています。

●館内を警備

本場所中の館内警備も行います。

会場入り口の様子。

世話人・若者頭

「世話人」「若者頭」はともに、十両・幕下力士が引退したあと、日本相撲協会に採用された人物で、世話人は13名以内、若者頭は8名以内と決められています。本場所の会場で、紺色の協会のジャンパーを着てさまざまな業務をこなしており、現役時代の四股名で呼ばれます。

世話人の仕事とは

本場所や巡業の際の競技用具・明け荷 (P21) の管理や運搬を行うほか、観客の出入り口に立ち、案内や世話をする「木戸の管理」や、駐車場の管理も担当します。

若者頭の仕事とは

❶ 下位力士の稽古の監督や生活指導

下位力士を監督・指導します。親方の目の届かないところを補佐する役目をもっています。

❷ 前相撲の取組進行

まわしを締め直したり、土俵での作法を教えたり、前相撲の取組の世話をします。

❸ 勝負結果の記録

本場所の勝負結果を記録します。

❹ 表彰式 (P58) や優勝決定戦の補佐

千秋楽で優勝決定戦が3人以上になった場合に行われるくじ引きの補佐をします。また、優勝力士がもらったトロフィーや優勝旗などを、土俵の下で受け取る役目も担当しています。

審判委員

本場所の取組では、土俵下に5人の審判委員（勝負審判）が座り勝負を見守ります。審判長は正面に、向正面には制限時間の確認をする時計係が座り、行司の軍配に異議のある審判委員は、手を上げて物言いをつけます。

審判委員の仕事

力士や行司の賞罰、取組の編成、番付の審査・編成なども審判委員の仕事です。審判委員は、理事長が年寄のなかから任命します。定員は20名以内です。

十両・錦木対十両・安美錦戦で、物言いの結果を説明する審判長の様子。
【写真は2017年（平成29年）5月場所】

物言いのつけかた

行司の判定に異議がある審判委員は、挙手をして「物言い」をつけることができます。物言いがついたときは、審判委員全員が協議をしたのち、審判長が「軍配通り」「差し違え」「同体取り直し」という結果をアナウンスします。本場所では、勝負の判定にビデオを使うこともあります。

日本相撲協会

日本相撲協会は、日本の国技と言われる相撲の興行を取り仕切る団体で、正式名称は「公益財団法人　日本相撲協会」です。1925年（大正14年）に財団法人として設立され、2014年（平成26年）に公益財団法人に移行しました。力士を引退して年寄名跡（P100）を襲名した者が運営にあたっています。

日本相撲協会の役割

日本相撲協会は本場所や巡業の開催、人材の育成、相撲の指導や普及、さらに相撲記録の保存および活用や国際親善、相撲教習所（P107）の維持や運営など、国技と言われる相撲の伝統の継承と未来のために、日々活動を行っています。

日本相撲協会ホームページ

http://www.sumo.or.jp

最新の番付表など力士の情報、相撲の歴史、入場券情報、観戦案内、成績、巡業について、国技館の様子など、相撲に関する情報を網羅して紹介しています。まんが「ハッキヨイ！せきトリくん」「大相撲入門編」「大相撲伝」などおもしろいコーナーもいっぱいあります。

力士データのページがあり、四股名などを入力すると、幕内力士のプロフィールのほか、全力士の星取表（P60）を見ることができます。

相撲博物館

両国国技館に併設されている相撲博物館は、日本相撲協会が運営しています。博物館は、錦絵や化粧まわしなど、相撲の資料を多数保有していて、2か月ごとに展示替えを行っています。

所在地：東京都墨田区横網1-3-28（両国国技館1階）
電話：03-3622-0366
開館時間：10：00〜16：30（最終入館 16：00）
休館日：土・日・祝日・年末年始
入館料：無料（両国国技館での本場所中は大相撲の観覧券が必要）

企画展の一例。横綱土俵入りの化粧まわしなども展示されています。

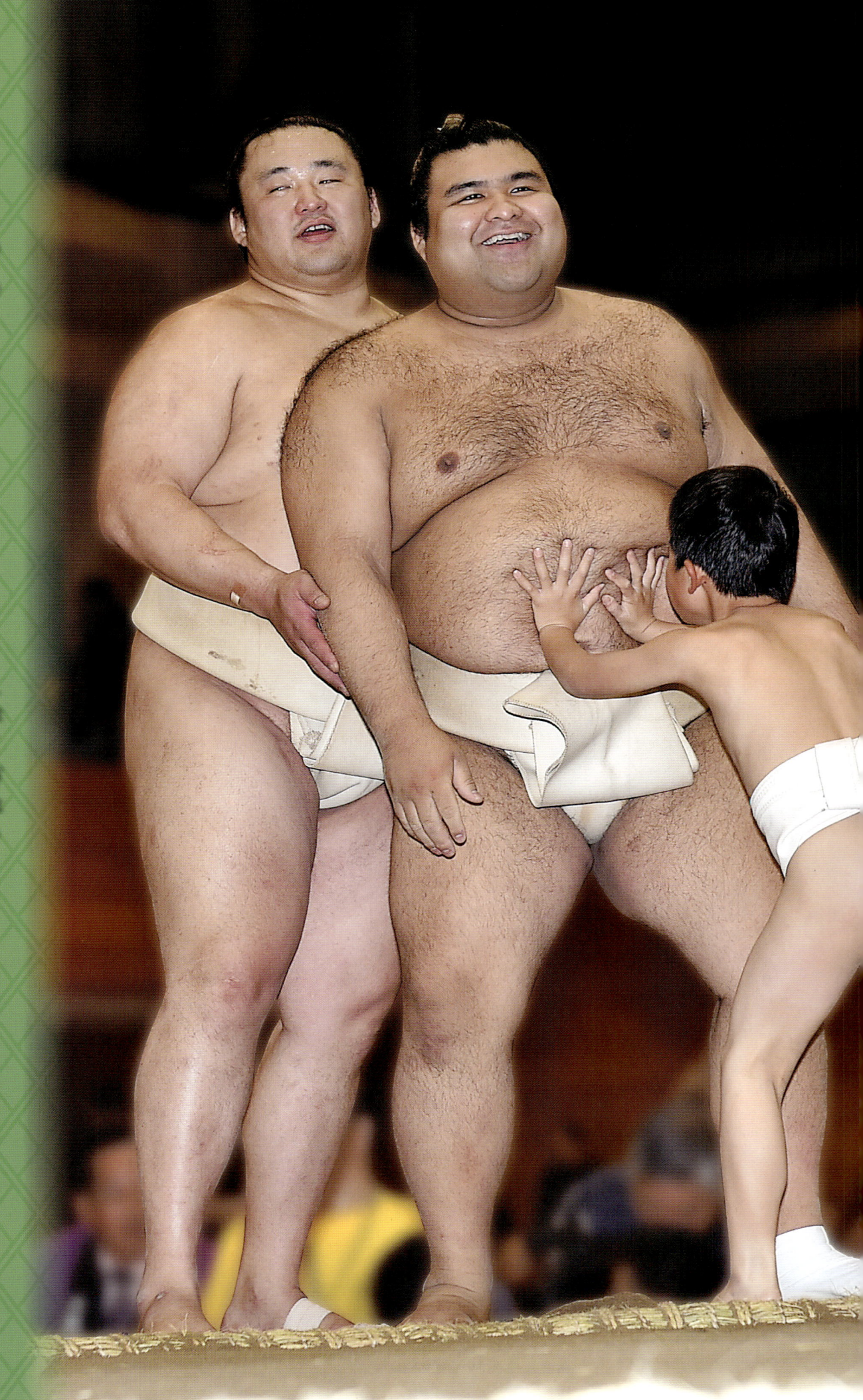

5章 力士という職業

しょう　りき　し
しょくぎょう

力士になるにはどうしたらよいのでしょうか。また、力士になったらどんなふうに一日、一年を過ごし、どのように体を鍛えるのでしょうか。さまざまな視点から見ていきましょう。

巡業での子ども稽古の様子。【写真は 2017 年（平成 29 年）4月】

力士になるには

誰でも簡単に力士になれるわけではありません。まず相撲部屋に入門し、次に体格や健康を問う「新弟子検査」を受けて合格しなくてはなりません。

力士という職業

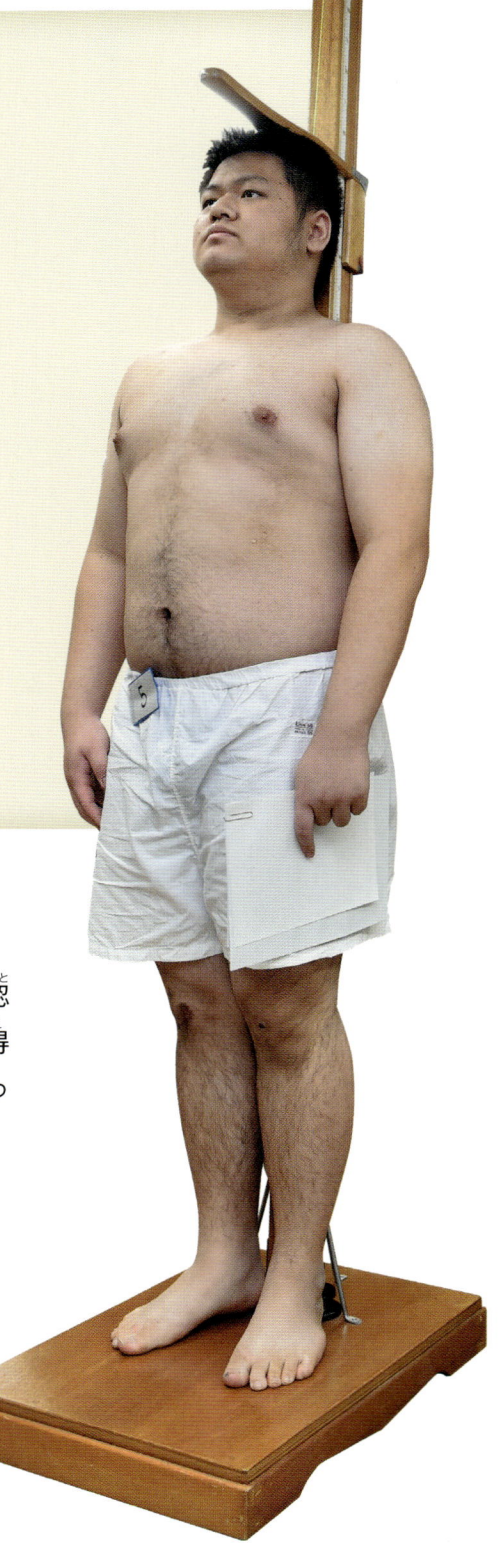

入門規定

身長・体重・年齢に基準が設けられています。これは体格無差別で戦う力士を守るためでもあります。ただし、体格が基準に満たなくても、運動能力に優れていれば例外的に合格となるケースもあります。

☑ **身長**…167cm 以上*

☑ **体重**…67kg 以上

☑ **年齢**…23 歳未満

＊3月場所の新弟子検査は、中学卒業見込みの者に限り、身長の条件が165cm以上、体重は65kg以上です。

附出制度

上記の入門ルートのほかに、25歳未満で、日本相撲協会が認めた人のために、幕下15枚目格としてデビューする資格が得られる「幕下附出」と呼ばれる優遇制度があります。実績によっては、幕下10枚目格附出、三段目最下位格附出となります。

外国出身の場合は…

保証人ふたりが署名した力士検査届けを日本相撲協会に提出し、協会検査を受け合格すれば入門できます。現在は、外国出身力士は各部屋にひとりまでと決められています。

力士への道のり！

相撲部屋

ぺこ。

相撲部屋に弟子入り

部屋の師匠の許可をもらい、いくつかの必要な書類を添えて日本相撲協会に提出します。

新弟子検査

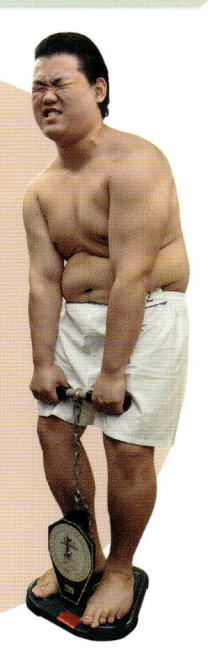

医師による健康診断と体格チェックが行われます。これに合格すると力士になれます。体格測定のほか、視力や筋力、肺活量なども測定します。

相撲教習所

新弟子となった者は相撲教習所で大相撲の基礎を学びます。相撲の実技を学ぶほか、相撲史や詩吟など約6か月間かけて指導を受けます。

部屋の関係者から「合格、おめでとう」。

卒業式で卒業証書を授与されます。

前相撲デビュー

前相撲は、本場所の日の、序ノ口の取組前に行われ、一日1番ずつ3勝するまで続けます。3勝した者から順に抜けていきます。もし全敗しても翌場所からは全員が序ノ口として番付に記載され、ここから相撲人生がスタートします。

相撲部屋

相撲部屋は大相撲の力士を育てるための施設です。45部屋あり（2017年［平成29年］10月現在）、それぞれ親方を中心とした共同生活を行っており、幕下以下は大部屋で過ごし、十両（関取）になると個室が与えられます。ここでは、前頭・勢、前頭・錦木といった人気力士が所属する伊勢ノ海部屋を例に紹介します。

稽古場 相撲部屋の稽古場です。一般的に稽古場の中央には土俵、正面には上がり座敷があり、師匠や部屋付き親方が座って力士を指導しています。

鉄砲柱

黒いまわしをつけた下位力士たち。

土俵の横には神棚がまつられています。

師匠

白いまわしをつけた幕内力士。

上がり座敷

実践的な取組の稽古。

伊勢ノ海部屋の場合、この玄関を開けるとすぐに稽古場です。奥に台所もあり、上の階には十両以上の関取の個室などがあります。

稽古場には「鉄砲柱」があります。鉄砲（柱を両手で左右交互に突く稽古）を繰り返して、上半身を鍛えます。

稽古のあとは、お待ちかねの食事（ちゃんこ）(P114) です。朝ご飯を食べずに激しい稽古を行うので、みなおなかがぺこぺこです。左は前頭・勢、右は前頭・錦木。奥に座っているのが伊勢ノ海親方。そのとなりはおかみさんです。

本場所の前日に訪れた、各相撲部屋の呼出による「触れ太鼓」。興行が始まることを伝え、初日の取組内容を呼び上げます。

朝稽古

毎日、力士たちは厳しい朝稽古をしています。ストレッチなどの準備運動から徐々に激しい運動へと移っていきますが、稽古の内容は日ごとに異なります。各相撲部屋の稽古場では、力士たちの練習の様子を見学することができます。

甲山親方

力士たちの指導にあたるのは、師匠（第12代伊勢ノ海親方、元北勝鬨）や、部屋付きの親方（甲山親方、元大碇）。体慣らしが終わったら、いよいよ土俵での稽古です。力量が同じくらいの力士同士で行う「三番稽古」(P115)や、勝った力士が次の稽古相手を指名する「申し合い」などを行います。

股関節をやわらかくする「股割り」(P113) は基本の稽古 (P112)。

「塵浄水の型」。伝統的な相撲の型です。

重心を落とし、足の裏全体をつかって「すり足」をしています。

下位力士が前頭・勢に胸を出してもらい、全身で押す「ぶつかり稽古」をしています。

実践形式の「申し合い」の稽古での、投げの打ち合いのシーン。稽古でも、ときに本場所をしのぐほどの熱戦が繰り広げられます。

土俵を整える

稽古が終わったら、神棚に一礼をして土俵の掃除です。ほうきでていねいにはき清めます。土俵の整え方は部屋により少しずつやり方が違いますが、神聖な土俵を敬う気持ちは同じです。

朝稽古の見学方法

1 見学可能か調べる

相撲部屋によっては朝稽古を公開していない場合や、一時的に非公開にしていることもあります。まずは各相撲部屋のホームページを確認してみましょう。

2 問合せをする

せっかく部屋に足を運んでも、見学できないとがっかりです。事前にメールや電話で予約をしておくと安心です。

本場所前は、後援会の人たちやファンの見学でいっぱいになることもあります。

見学をするときのマナー

力士たちは真剣に朝稽古をしています。力士たちの気が散るような下記の行動は絶対にやめましょう。

- 🖐 私語をしない。
- 🖐 飲食をしない。
- 🖐 携帯で通話をしない。
- 🖐 フラッシュ撮影をしない。
- 🖐 足の裏を土俵に向けない。
- 🖐 むやみに立ったり座ったりしない。

基本の稽古

多くの相撲部屋では、土俵で練習を行う前に、稽古の基本となる独特な準備体操を行います。この体操は、重心を下腹部に置く動きが身につき、高度な相撲の技の習得にもつなげることができます。

> 大きな声で「イチ、ニ、サン、シ」と号令をかけながらやってみよう。

① 気鎮めの型（蹲踞の姿勢）

体操を始める前の姿勢です。腹式呼吸をしながら背すじをまっすぐに伸ばし、ひざは外側に大きく、無理のない程度に広げます。心を集中させる効果があります。鼻からおなかまで息をゆっくりと吸い込み、ゆっくりと吐きながら行います。

豆知識

足腰を鍛えられる相撲の基本動作は、力士だけでなく一般の人にもおすすめです。子どもからお年寄りまで楽しむことができます。日本相撲協会では「相撲健康体操」としてホームページなどで紹介しています。

イチで深くゆっくり息を吸い、ニで深くゆっくり息を吐きます。

② 塵浄水の型

手をもむようにこすることで神経を刺激します。胸の筋肉を伸ばすように、胸を大きく広げることで、肩関節の運動にもなります。気鎮めの型と同じく、心を集中させる効果があります。

イチ

蹲踞をします。両手を伸ばし、ひざの内側に置き、軽く頭を下げます。

ニ

両手を合わせます。

サン、シ

手をもむようにこすりながら、柏手を打ちます。

ゴ、ロク、シチ
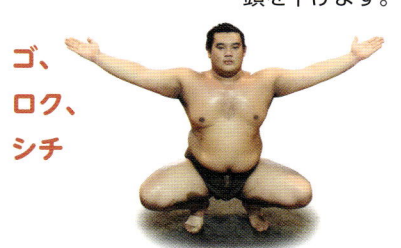
両手のひらを、体の前で大きく広げます。手のひらを下に返します。

ハチ

ゆっくりと元の姿勢に戻ります。

③ 四股の型

全身の重心を安定させる、足腰の基礎運動です。片足で立つことで、バランス能力がアップ。股関節、足腰の柔軟性の向上や筋力の強化につながります。

イチ

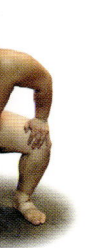

蹲踞をし、左足に体重移動します。

ニ

左足のひざを伸ばしながら、右足を上げます。両足のひざが伸びたところで、少し静止。

サン

シ

ドシッと力強く、右足を元の位置に戻します。

ゴ、ロク

腰を少し落とし、蹲踞の姿勢をとります。次は右足に体重移動します。

シチ

右足のひざを伸ばしながら、左足を上げます。左足と右足のひざが伸びたところで、少し静止。

ハチ

ドシッと力強く、左足を元の位置に戻します。

④ 股割り

足を広げて、足の内側の筋肉や股関節を中心に伸ばします。体の柔軟性を高めるのに役立ちます。

足を広げて座ります。

イチ、ニ、サン、シ

右へ体を倒します。

ゴ、ロク、シチ、ハチ　　**イチ、ニ**　　**イチ、ニ**

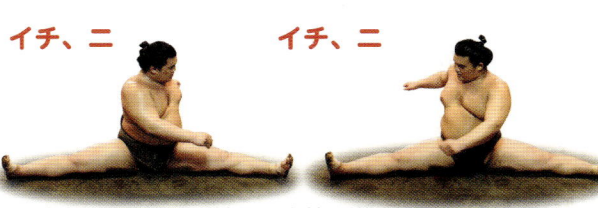

左へ体を倒します。　両手を前に出し、大きく左右に体を振ります。

イチ、ニ、サン、シ、ゴ、ロク、シチ、ハチ

息を吐きながら、体を前に倒します。

⑤ 仕切りの型

集中して、足の指で地面をつかむようにします。足の指、ひざ、腰を鍛えます。

イチ、ニ　　**サン、シ**　　**ゴ、ロク**

ひざの上に手をおき、ひじを下ろしたあと、前方をにらむように構えます。

イチで右手をつき、ニで左手をつきます。

全身にグッと力を入れ、上体を前傾させてから体を起こします。

「ヤァッ」と声を出して気合いを入れながら、両手を前に突き出し、腕を引きます。

力士の一日

力士の一日は朝稽古から始まります。朝早くから準備を整えて稽古場へ。昼前に稽古を終えると、昼食（ちゃんこ）を食べます。その後は昼寝・自由時間を過ごし、夕食（ちゃんこ）を食べて、夜10時過ぎには就寝です。早寝早起きの規則正しい生活が強くなる秘訣です。

起床

起きたらすぐに稽古の準備です。まずはまわしを締めます。

5:00〜6:00 起床
6時

睡眠時間

のびー、

6:00〜11:00 稽古

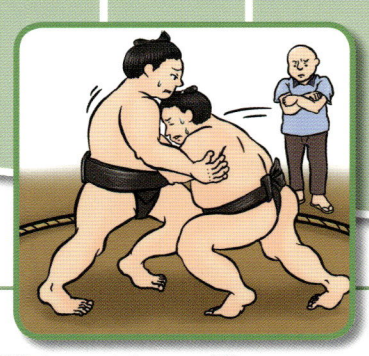

11:00〜13:00 昼食（ちゃんこ）
12時

稽古の終わりには、再び柔軟性を高めるために股割りを行います。

稽古

四股やすり足、股割りといった基本の稽古でじっくりとウォーミングアップします。十両以上の関取が稽古場にあらわれるのは8時頃です。本格的な稽古では、「三番稽古」や「ぶつかり稽古」を行います。稽古が終わると番付上位の力士から順に入浴し、床山に髷を結い直してもらいます。

関取に稽古で投げられた下位力士の背中には、土がついてしまっています。

昼食（ちゃんこ）

「ちゃんこ」というと鍋をイメージしますが、力士がつくる料理をすべてちゃんこと呼びます。下位の力士がちゃんこをつくって、師匠や上位の力士から食べます。その間、下位の力士は後ろに立ってちゃんこの世話をします。上位の力士の食事が終わったら、下位の力士が食事を取ります。

ちゃんこをつくるのは、若手力士の仕事です。

昼寝・自由時間

食事のあと片づけが終わったら、昼寝をします。朝ご飯を食べずに激しい稽古をし、おなかいっぱいちゃんこを食べて寝る。このサイクルが、力士の大きな体をつくっているのです。さらに、ゲームをしたりジムに行って筋力トレーニングを行ったりと、午後の過ごし方はさまざまです。

空き時間には、色紙に朱肉を用いて手形を押す作業も行います。手形は記念品として人気があります。

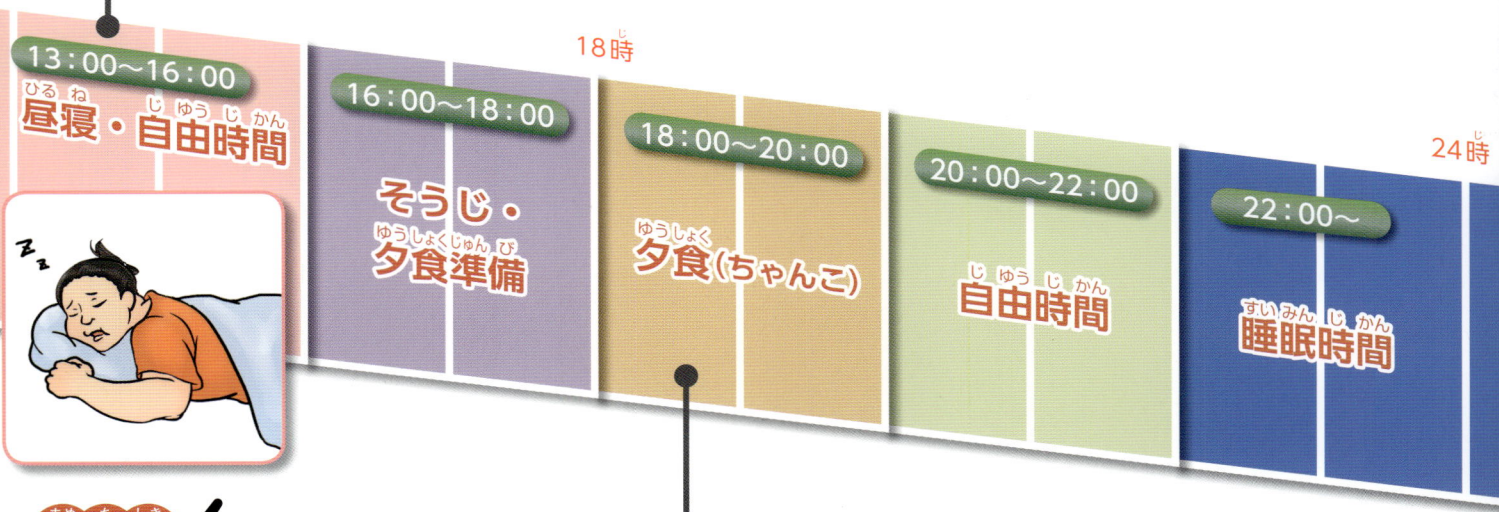

- 13:00〜16:00 昼寝・自由時間
- 16:00〜18:00 そうじ・夕食準備
- 18時
- 18:00〜20:00 夕食（ちゃんこ）
- 20:00〜22:00 自由時間
- 22:00〜 睡眠時間
- 24時

豆知識

三番稽古
実力が同じ程度の力士同士で、何番も続けて稽古を行うこと。「三番」とつきますが回数に決まりはありません。

ぶつかり稽古
ふた手に分かれ、受ける側は守り、ぶつかる側は押しと受け身を稽古します。

夕食（ちゃんこ）

全員でちゃんこを囲みます。昼食と同じく、師匠や上位の力士から食事スタート。食べ終わったらあと片づけをして自由時間です。

※ここで紹介した力士の一日は一例で、部屋によって違いがあります。

巡業

全国各地で行われる本場所以外の相撲興行のことを「巡業」や「花相撲」と言います。迫力満点の公開稽古、子どもたちとの稽古、髪結いや綱締めの実演、相撲甚句、力士との握手会などが行われ、力士を身近に感じられる催しです。ここでは2017年（平成29年）4月に開催された、茨城県常陸大宮場所の一日を紹介します。

会場の外で呼出が打つ「寄せ太鼓」の音とともに巡業がスタートします。

十両・幕内稽古

朝一番に始まる幕下以下の稽古に続き、関取衆の稽古です。

4つの巡業

巡業は年4回に分けて全国各地で行われます。4月の「春巡業」は近畿・東海・関東へ、8月の「夏巡業」は北海道・東北へ、10月の「秋巡業」は東海・中国地方へ訪れます。12月の「冬巡業」は九州・沖縄を約1か月かけて回ります。

幕内取組

観客のお目当てである、幕内力士による取組。地元の茨城県出身の力士が土俵に上がると、歓声が一際大きくなります。

子どもたちが力士に稽古をつけてもらいます。あこがれの力士に相撲を教えてもらうことができます。

色鮮やかな化粧まわしを締めた関取の土俵入り。「力士に抱っこしてもらうと元気に育つ」との言い伝えから、地元の赤ちゃんを抱っこして登場することも。

地元の高校の相撲部生徒と大相撲力士による取組。本物の力士に稽古をつけてもらえる機会はめったにありません。

お好み

巡業では、力士の取組の合間に「お好み」と言われる、さまざまな余興が行われます。横綱と下位力士による綱締めの実演、床山による人気力士の髪結い、初切など、本場所では見られない相撲の魅力に触れることができます。

綱締めの実演 横綱の綱を締める様子を見ることができます。横綱が締める10〜15kgほどの綱を、付け人や下位力士5〜7人がかりで締めていきます。

巡業で披露された、横綱・白鵬の綱締め。【2017年（平成29年）8月】

髪結い実演

床山の見事なくしさばきで、美しい大銀杏を結う姿を見ることができます。

初切

ふたりの力士が、相撲の禁じ手（P70）などをコミカルな演技で紹介します。

相撲甚句

相撲甚句とは、相撲に関する歌詞を七五調で歌う、民謡の一種です。のど自慢の力士5～7人が円になり、ひとりがその中央で歌います。

櫓太鼓打分

「寄せ太鼓」「はね太鼓」などを実演しながら、太鼓（P98）の打ち方の違いを紹介します。

奉納相撲

古代より神事や祭りとしてとり行われてきた相撲。そんな神事としての姿を見られるのが、神社仏閣で行われる「奉納相撲」です。神聖な場での横綱土俵入りや取組からは、日本情緒をたっぷり味わえます。

　明治神宮で土俵入りする横綱・白鵬。左は太刀持ちの前頭・魁聖、右は露払いの前頭・石浦。【2017年（平成29年）1月】

神社で触れる相撲文化

奉納相撲は、明治神宮、伊勢神宮など日本各地の神社やお寺で開催されています。おごそかな雰囲気のなかで、横綱土俵入りのほか、場所によっては取組やお好み (P118) も披露されます。その多くは無料で見学できます。

節分の豆まき

毎年2月3日に行われる節分の催し「節分会」では、神社やお寺に力士が招待されて豆をまきます。力士が豆をまき、四股を踏むことで、悪い鬼を踏みつけ、払うことができると言われています。

靖国神社には、常設されている相撲場（土俵）があるため、「土俵祭」も行われます。

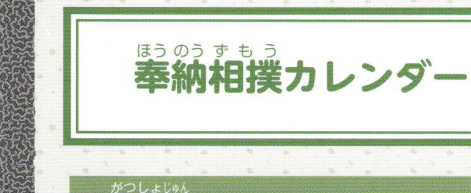

2017年（平成29年）、千葉・成田山新勝寺で行われた豆まきには、横綱・稀勢の里が登場しました。

奉納相撲カレンダー

1月初旬
明治神宮　奉納土俵入り

2月3日
節分会　日本各地の神社やお寺で力士が豆まきを行う。

3月初旬
住吉大社　奉納土俵入り

4月初旬
伊勢神宮　奉納大相撲

4月上旬
靖国神社　奉納大相撲

7月初旬
熱田神宮　奉納土俵入り

10月初旬
明治神宮例祭奉祝
全日本力士選士権大会

11月初旬
住吉神社　奉納土俵入り

※2017年（平成29年）のもの。奉納土俵入りの開催時期は、年ごとに変わります。

6章 相撲を楽しむ

長い歴史をもつ相撲ですが、いつ頃からあったのでしょうか。また、世界には相撲に似たスポーツはあるのでしょうか。ここでは相撲をもっと楽しむためのさまざまな知識を紹介します。

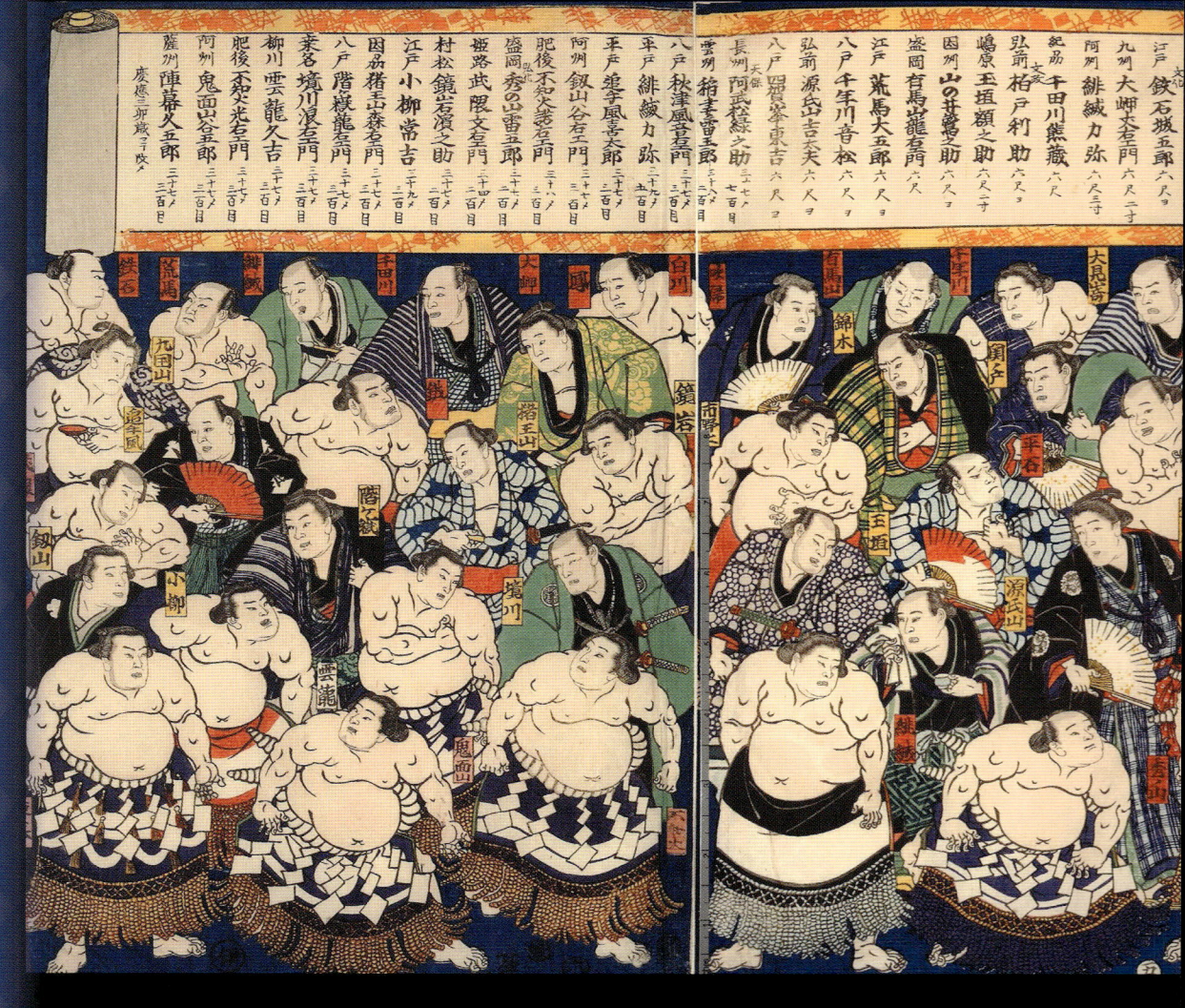

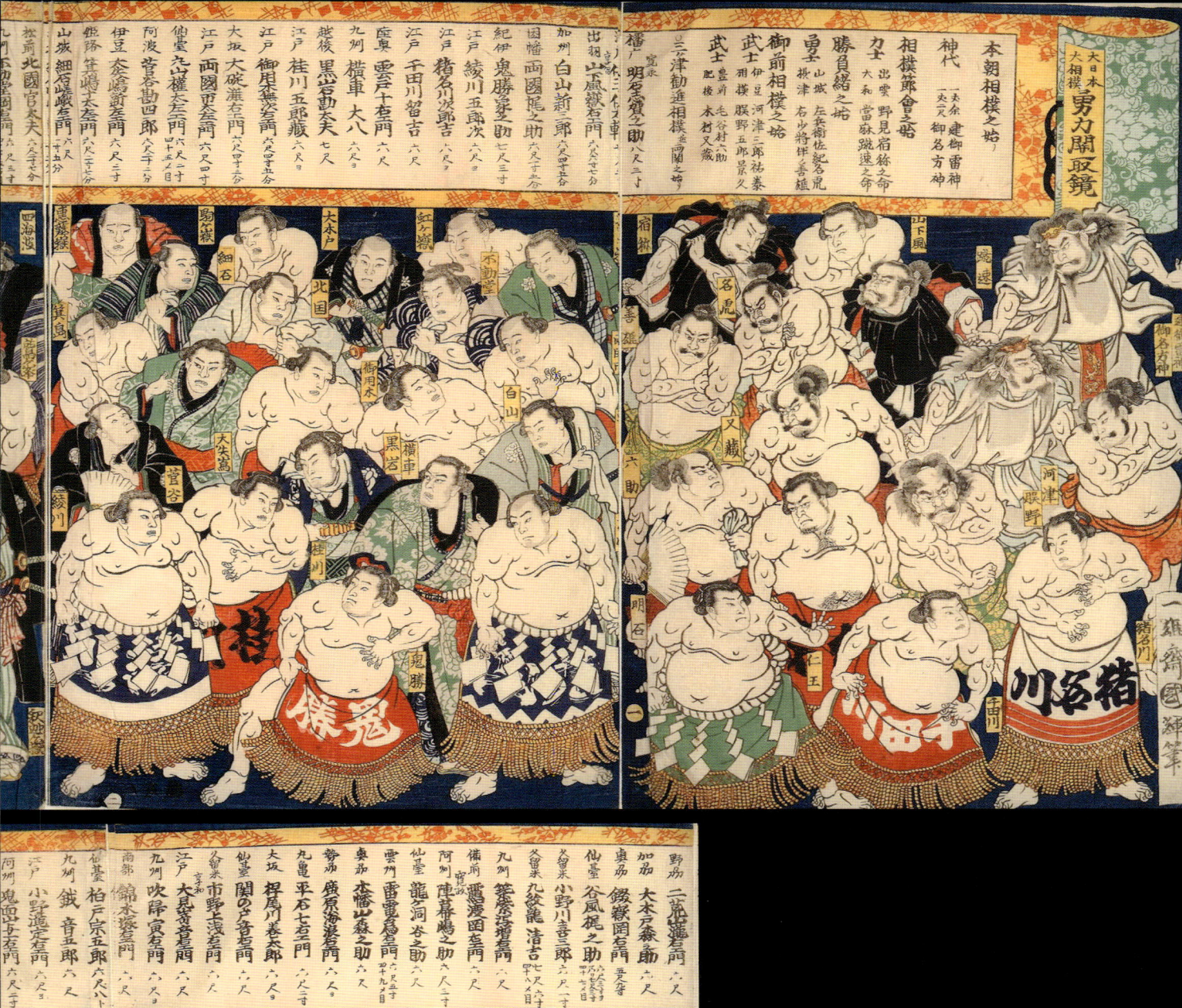

歌川国輝（二代）画「大日本大相撲勇力関取鏡」
（東京都立中央図書館特別文庫室蔵）。

123

相撲の歴史

相撲の歴史をさかのぼると、神話の時代にまで辿りつきます。1500年以上続くと言われる相撲は、日本の文化と深く結びつき、いつでも人々の身近にありました。ここではそんな相撲の歴史をひもといてみましょう。

古事記や日本書紀にも登場

相撲の起源は古く、日本最古の歴史書である「古事記」（712年）に神同士の力比べが記されているほか、「日本書紀」（720年）のなかには、野見宿禰や当麻蹴速が天覧勝負をしたという伝説が登場します。

平安朝相撲節会の図。

奈良〜平安

平安時代の宮中儀式「相撲節会」

奈良から平安時代には、宮中の年中行事として「相撲節会」が行われていました。射礼や騎射と並んで「三度節」とも呼ばれ、平安時代後期には神や仏に捧げる「芸能」のひとつとして、神楽や田楽などと並び催されるようになったのです。

相撲節会に臨む力士の準備模様（春日大社蔵）。

戦国時代には戦の訓練として

鎌倉時代から戦国時代の武士の時代になると、戦いの訓練として相撲が取り入れられます。将軍や大名も相撲を観覧して、勝ち抜いた力士は家臣として召しかかえられることもありました。源頼朝や織田信長などの優れた武将も相撲を愛好していたと言われています。

織田信長の上覧相撲の様子。

江戸時代には庶民の娯楽に

江戸時代になると、相撲を職業とする人たちがあらわれ、江戸時代中期には定期的に興行が行われるようになります。谷風、小野川、雷電の3大強豪力士が登場し、相撲の人気はうなぎのぼりに。歌舞伎と並んで庶民の娯楽として花開きます。

歌川国芳画　「勧進大相撲土俵入之図」（東京都立中央図書館特別文庫室蔵）。

わんぱく相撲

「わんぱく相撲」は小学4年生から6年生を対象とした、最大規模の子ども相撲大会です。国内200地区の予選大会を行ったあと、両国国技館で全国大会が開催されます。予選大会からの参加者は約4万人。日本の小学生力士の頂点を争います。

横綱を目指すトーナメント

予選大会から勝ち上がった力士は両国国技館で行われる全国大会に出場できます。各学年ごとのトーナメント方式で争い、横綱1名、大関1名、関脇2名、小結4名をそれぞれ決定します。

小学生力士のナンバーワンを目指して、力と力のぶつかり合いです。

2017年度の地区の予選大会には、4、5、6年生の女子が4267人参加しました。気迫十分です！

ルール

基本的に大相撲のルールと同じですが、わんぱく相撲のために定められたルールもあります。

● 負けになる場合

相手より先に土俵を出る。相手より先に足の裏以外の体の一部が砂につく。競技中に競技者が腰より上に持ち上げられる。禁じ手を使う。主審の指示に従わない。

● 立合い

主審の指示に従い、両手をつき、「はっきよい」で立ちます。「待った」(P68)はありません。

● 禁じ手

張り手、こぶしまたは指で目や胸を突く、髪の毛・のど・前袋をつかむ、向こうげり、逆指、鯖折り、河津掛け、居反り、首抱え込み、頭を相手の胸の真んなかより下に入り込ませる、かんぬき*1、合掌*2。

*1 相手の両腕を外側から締めつけること。
*2 組んでいるとき、自分の指を組み合わすこと。

わんぱく相撲の歴史

東京青年会議所が、遊び場の少ない東京の子どもにスポーツの機会を与えることと、心身を鍛えることを目的として、1977年（昭和52年）に東京23区に相撲を広める運動をしたのが始まりです。1981年（昭和56年）には日本相撲協会と協力して「わんぱく相撲の手引き」を作成。全国各地に無料配布して、普及運動を行いました。1985年（昭和60年）には「第9回わんぱく相撲東京場所」と同時に「わんぱく相撲全国大会・新国技館落成記念大会」が開催され、いまのわんぱく相撲につながっています。

大会当日は、大相撲さながらわんぱく相撲ののぼり（P35）が立ち並びます。

優勝者による横綱土俵入りは、とても迫力があります。

大会の最後には、大相撲と同じように弓取式（P56）も行います。

両国国技館で毎年行われる全国大会には、各地の予選大会を勝ち上がってきた強者たちが集結します。

豆知識

わんぱく相撲出身の力士には、貴乃花（第65代横綱）、稀勢の里（第72代横綱）、豪栄道（大関）、琴奨菊（最高位大関）などがいます。

わんぱく相撲に参加するには

各地で行われる予選大会に出場し、勝ち残ったら全国大会に出場することができます。まずは、自分の住んでいる地区の予選大会に申し込みをしましょう。ほとんどの予選大会には1～6年生が参加できますが、全国大会に出場できるのは予選大会を勝ち上がった4～6年生の男子の代表選手です。

スケジュール

4～6月 — 第1次予選

各地区ごとに行われる予選大会に出場します。申し込みは3～4月頃です。

6月 — 第2次予選（ブロック大会）

1次予選通過者は、都道府県ごと（開催されない地域あり）に行われるブロック大会に出場します。

7月 — 全国大会

いよいよ決勝戦が行われる、全国大会へ。相撲の聖地、東京の両国国技館で開催されます。

世界の相撲

相撲のように「ふたりで組み合って、相手を倒す」スポーツは、世界各国で見られます。しかし、日本の相撲の「相手を土俵（リング）から出したら勝ち」というルールは珍しいものです。

ブフ（ボフ）
モンゴル

モンゴル伝統の格闘技で、国技としてたいへん人気があります。「投げる」「倒す」が基本で決まり手は500種類を超えます。モンゴル出身者は、第68代・朝青龍を始め4人の横綱を輩出するなど、大相撲の世界で大活躍しています。

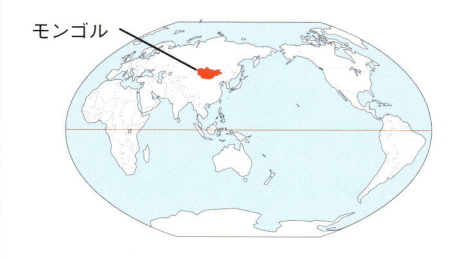

モンゴル

シルム
韓国

サッパと呼ばれる帯をつかんで組み合った状態からスタートします。シルムでは腕力や背筋力など上半身の筋力が重要とされます。砂場で行われ、場外に出ても負けにはなりません。ひざより上の部分が地面についたら負けです。

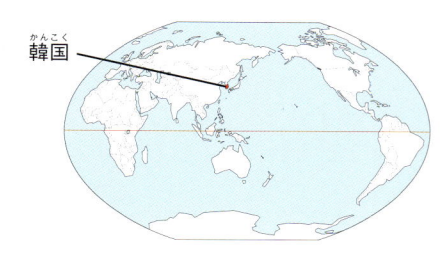

韓国

Woojin123RF.com

ヤールギュレシ
トルコ

モンゴルのブフ同様、草原で行われます。上半身は裸で黒革のズボンをはき、全身にオリーブオイルを塗った状態で行われます。相手の背中を地面につけるか、全身を持ち上げて数歩歩けば勝ち、というのが伝統的ルールです。最近ではポイント制を導入しています。夏に行われる全国大会は14世紀から続いており、世界最古の格闘技大会とされています。

トルコ

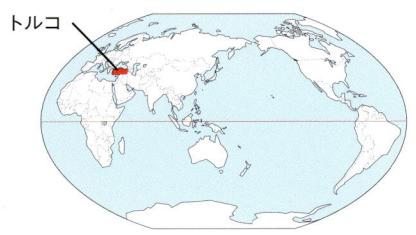

そのほかの国の相撲

シュヴィンゲン
スイス

おがくずを敷き詰めた直径12mの円形のリングで戦います。「シュヴィンゲン」とはドイツ語で「振り回す」という意味です。服の上に「シュヴィンガー・ホーゼ」と呼ばれる半ズボンをはき、これをつかみ合って、投げに持ち込みます。両肩が地面についた方が負けです。

スイス

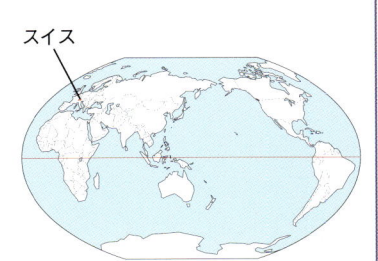

ルチャ・カナリア
スペイン

別名「カナリア相撲」と呼ばれる競技で、砂が敷かれた円形の土俵で行います。相手の足以外の体の一部を地面につけたら勝ちというシンプルなルールで、組み合った状態からスタートし、土俵から出たらやり直します。「ルチャ・カナリア」はスペイン語で、「ルチャ」は「争う」、「カナリア」はこの競技の発祥の地「カナリア諸島」をさしています。

スペイン

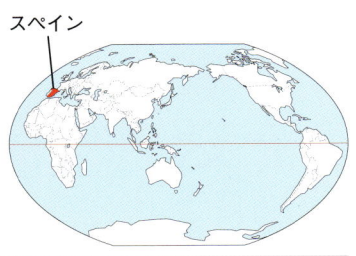

クラッシュ
ウズベキスタン

ウズベキスタンの国技で、相手を投げて、背中を地面につけたら一本勝ちとなりますが、一本勝ちだけでなく判定勝ちもあり、投げられた際の体勢や勢いなどをポイントに加算して勝敗が決まります。上半身で下半身を攻撃することが禁じられているのが、最大の特徴です。

ウズベキスタン

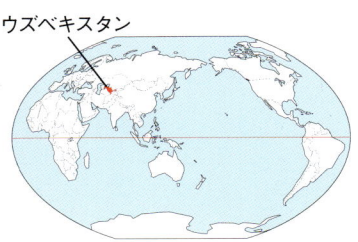

本場所に行こう

本場所では、取組以外にもさまざまな見どころがあります。本場所が開かれる会場の屋外には櫓太鼓の音が響き、のぼりがはためき、訪れる者の気持ちを高揚させます。館内には相撲グッズがいっぱいのみやげもの屋が並びます。

場所入りする力士に会おう

両国国技館では「場所入り」する力士を間近で見ることもできます（横綱・大関以外）。南門前や南門奥通路で「入り待ち」していると、付け人を従えた着物姿が粋な力士に会えます。

十両・大砂嵐

十両・旭大星

前頭・宇良

十両・竜電

前頭・勢

十両・蒼国来

※力士の番付は2017年（平成29年）10月発表の番付表を基にしています。

相撲を楽しむ

両国国技館の見どころ

両国国技館では、ここでしか買えない相撲グッズや食べものを楽しむことができます。

国技館エントランスホール

相撲にまつわる壁画や、優勝賜杯 (P59)
などが展示されています。

のぼり

会場入り口には色鮮やかなのぼりがずらり。
大相撲の世界へ誘います。

国技館グルメ

力士の好物や、力士の地元特産
品を使った力士弁当や国技館で
焼いている焼き鳥、軍配型のみ
たらしだんごなどもあります。

みやげもの屋

日本相撲協会公式キャラクター「ハッキヨイ！　せきトリくん」のオリジナ
ル商品や、力士グッズなどがずらり勢ぞろい。人気力士の似顔絵が描かれて
いる力士クッキーや姿絵、手形色紙、Tシャツ・ストラップ・マグネットなど、
ここでしか買えないグッズもあります。

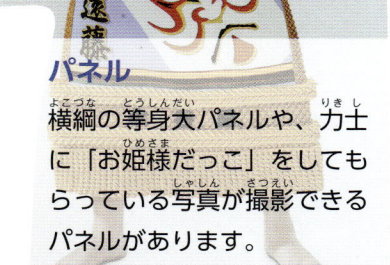

パネル

横綱の等身大パネルや、力士
に「お姫様だっこ」をしても
らっている写真が撮影できる
パネルがあります。

開催時期と場所

東京場所（1、5、9月）　両国国技館

所在地：東京都墨田区横網1-3-28
アクセス：JR総武線両国駅西口下車　徒歩約2分
　　　　　都営地下鉄大江戸線両国駅下車　徒歩約5分
電話番号：03-3623-5111
URL：http://www.sumo.or.jp/Kokugikan

大阪場所（3月）　大阪府立体育会館

所在地：大阪府大阪市浪速区難波中3-4-36（エディオンアリーナ大阪）
アクセス：大阪市営地下鉄なんば駅5番出口下車　徒歩約5分
　　　　　大阪難波駅 下車徒歩約8分、南海なんば駅南出口下車
　　　　　徒歩約4分、JRなんば駅下車 徒歩約10分
電話番号：06-6631-0121
URL：http://www.furitutaiikukaikan.jp

名古屋場所（7月）　愛知県体育館

所在地：愛知県名古屋市中区二の丸1-1
アクセス：名古屋市営地下鉄名城線市役所駅7番出口下車　徒歩約5分
電話番号：052-971-2516
URL：http://www.aichi-kentai.com

九州場所（11月）　福岡国際センター

所在地：福岡県福岡市博多区築港本町2-2
アクセス：福岡市営地下鉄箱崎線呉服町駅下車　徒歩約13分
　　　　　福岡市営地下鉄空港線・箱崎線中洲川端駅下車　徒歩約15分
電話番号：092-272-1111
URL：http://www.marinemesse.or.jp/kokusai

なんでもイチバン！
相撲の世界のイチバンを さがそう

相撲を楽しむ

力士でイチバン重いのは？
大露羅　288.8kg（最重量時）

現役の大露羅が堂々の1位。2位は元大関・小錦（6代目）の285kg。小錦は長い間ずっと1位でしたが、2017年8月の健康診断で大露羅がイチバンになりました。3位は元前頭・山本山で277kg。

現役の関取でイチバン軽いのは？
照強　115.0kg

1位は十両・照強です。2番目に軽いのは十両・石浦で120.0kg。関取（十両以上の力士）ともなると、100kgを超えても軽いのです。もっとも下の番付の序ノ口であれば、60kg台の力士もいます。

幕内優勝回数が イチバン多いのは？
第69代 横綱 白鵬　40回

白鵬が堂々の1位です。2006年（平成18年）5月場所での初優勝以来、史上最多記録を更新中です。2位は第48代横綱・大鵬で32回。3位は第58代横綱・千代の富士の31回です。

通算勝星数が イチバン多いのは？
第69代 横綱 白鵬　1064勝

2001年（平成13年）の初めての勝ち星から97場所で元大関・魁皇の1047勝を抜き、新記録を達成しました。

現役の力士で イチバン背が高いのは？
魁聖　195.0cm

友綱部屋の前頭・魁聖が1位です。2位は伊勢ノ海部屋の前頭・勢の193.0cm。21世紀以降の力士でイチバン背が高いのは第64代横綱・曙と元大関・琴欧洲の204cmです。正式な記録でなければもっと高い人もおり、江戸時代の初代横綱・明石志賀之助は251.5cm、生月鯨太左衛門は235cmと言われていますが、真偽は定かではありません。

横綱でいた期間が イチバン長いのは？
第55代 横綱 北の湖　63場所

北の湖は、1974年（昭和49年）9月～1985年（昭和60年）1月までの63場所の間、横綱でした。2位は現役の第69代横綱・白鵬で62場所です。横綱の在位年数（P139）で調べると第36代横綱・羽黒山の11年8か月が最長期間です。ただし、場所数は30場所です。ちなみに横綱の期間がイチバン短いのが、第12代横綱・陣幕の2場所です。

連勝記録数が イチバン多いのは？
第35代 横綱 双葉山　69連勝

双葉山は、1936年（昭和11年）3月場所7日目から勝ち続け、1939年（昭和14年）1月場所4日目に敗れました。2位は白鵬の63連勝、3位は千代の富士の53連勝です。

イチバン若くして横綱になったのは？

第55代 横綱 北の湖 21歳2か月

北の湖は、18歳7か月で幕内に入ったときに「最年少で横綱を目指す」と宣言したとおり、イチバン若くして横綱になりました。2位は大鵬で21歳3か月。ちなみに最年長は第53代横綱・琴櫻で32歳1か月でした。

イチバン高い化粧まわしを持っていた関取は？

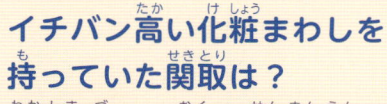

若嶋津 1億5千万円 (推定)

関取（十両以上）になるとつけることができる化粧まわし。1枚100万円以上するとされていますが、いままでイチバン高価だったと言われているのは元大関・若嶋津の1億5千万円。10カラットのダイヤモンドが埋め込まれていました。

関取になるスピードがイチバン速かったのは？

常幸龍

（序ノ口から）土佐豊、板井、常幸龍 6場所

序ノ口から十両昇進が速かったのは元前頭・土佐豊、元小結・板井、現役では常幸龍が6場所で昇進。幕下附出 (P106) からは、前頭・遠藤や十両・矢後らが2場所で十両に昇進しました。

入幕から大関昇進までのスピードがイチバン速かったのは？

第48代 横綱 大鵬

幕内に入ってから6場所で大関になりました。また、入幕から横綱になるスピードもイチバン早く、11場所で横綱になりました。

日本以外の出身国でイチバン多いのは？

モンゴル

2017年（平成29年）11月現在の幕内力士には、白鵬、第71代横綱・鶴竜を始めとするモンゴル出身力士が9人いてダントツ1位。外国出身関取はほかにジョージア出身の前頭・栃ノ心、ブルガリア出身の前頭・碧山、ブラジル出身の前頭・魁聖がいます。

イチバン最初の外国出身の力士は？

豊錦

アメリカ合衆国コロラド州出身の豊錦は、1937年（昭和12年）に来日して出羽海部屋に入門、翌年の1月場所でアメリカ合衆国籍をもつ力士として初めて土俵を踏みました。最高位は東前頭二十枚目でした。外国出身力士として初めての大関はハワイ出身の小錦（6代目）、初めての横綱はハワイ出身の曙です。

そのほかの相撲に関する興味深い記録をまとめてみました。

- **国民栄誉賞を受賞した力士**……大鵬と千代の富士。
- **通算三賞獲得数**……元関脇・安芸乃島の19回がイチバン。
- **通算金星獲得数**……安芸乃島が16個でイチバン。
- **力士の給与の額は？**……横綱の場合、年収で約3千万円以上。

あれが知りたい、これが知りたい！
相撲 Q&A

Q 櫓から長い棒が2本伸びて、先端に布のようなものがつけてあるのはなんの意味？

A 土俵の神様を呼ぶ、あるいは興行中の晴天を祈る意味をもっています。櫓の上に出ている竿の先端に結んだものは「だしっぺい」と呼ばれています。ちなみに、両国国技館の正面玄関横に設置されている櫓の高さは16mあって鉄骨製で、エレベーターつきです。

Q 行司の「はっけよい」と「のこった」の意味を教えて。

A 「はっけよい」と聞こえますが、正しくは「はっきよい」です。意味は「発気揚々」、つまり、力士が動かない場合の「動け」という意味のかけ声です。逆に動きがあるときは「のこった」の声を出しています。

Q どうして東西に分かれているの？

A 相撲は、1964年（昭和39年）までは東西に分かれて競う団体戦でした。それは江戸時代に力士をかかえる大名が東西に分かれていたことに由来しています。そこでは、味方同士が対戦することはありませんでしたが、1965年（昭和40年）1月から現在のスタイルになりました。しかし、東西に分かれている伝統だけは続いているのです。

Q 体重の重い力士は、飛行機に乗れるの？

A 巡業などで、力士が国内外にでかけるときは、もちろん飛行機に乗ることがあります。巡業の手配などは行司の仕事で、飛行機のチケットを取る際、力士が飛行機の片側に集中しないように気をつけます。気になるトイレですが、狭い個室に入れないほど大きな体をしている力士は、トイレを極力使わずにすむように、薬を飲んでできるだけ眠っていることもあるそうです。

Q 髪の毛が薄くなったり、なくなったら髷はどうするの？

A 力士の髪の毛が薄くなって大銀杏や丁髷が結いにくくなっても、現在はさまざまな技術が発達していますし、床山の職人の技で、髪が少なくなってもたいていは結えるそうです。

Q どうして力士は髷を結っているの？

A 江戸時代は、力士に限らず一般の人々も髷を結っていました。1871年（明治4年）に断髪令が発令されましたが、相撲好きな政治家が大勢いたこともあり、力士たちは伝統を守るため髷を結い続けることができたと言われています。

Q 呼出が力士を呼び上げるとき、間違えないの？

A 名前を間違えないのか心配になりますが、実は「カンニングペーパー」のようなものを共有しています。細長い小さな巻物のような紙に、その日の取組表を小さく切って1本につなぎ、確認しています。その呼出が終わると、ちぎって次の呼出に渡すので、最後にはとても小さい紙になっているそうです。単なるお守り代わりに持つ人も多いとか。

Q 大相撲を本場所以外で見る方法は？

A 本場所期間中は、NHKの大相撲中継で幕下以下の取組から生中継しています。実況のナレーションと解説で、土俵上の熱戦や力士の近況なども伝えてくれます。パソコンやスマートフォンでも、気軽に見ることができるサイトがあり、リアルタイムで見逃しても、一週間限定で何度も見ることができたり、過去の取組結果を調べられたりするものもあります。

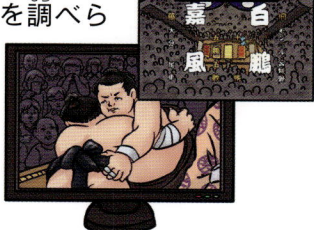

大相撲を見ることができるメディア

テレビ	NHK BS1 サブch102	「大相撲中継」（幕下以下）	午後1時〜午後3時8分（本場所開催中のみ放送）	幕下以下の取組を生中継します。
	NHK総合	「大相撲中継」（十両・幕内）	午後3時8分〜午後6時（本場所開催中のみ放送）	本場所中の、十両・幕内の全取組を中継します。
	NHK総合	「大相撲 幕内の全取組」	午前3時45分〜午前4時10分（本場所開催中のみ放送）	前日に行われた幕内取組をダイジェストで放送します。
パソコン、スマートフォンで楽しむ		「スポーツナビ」 https://sports.yahoo.co.jp/sumo/	スポーツ総合サイトのなかに「大相撲」のページがあり、本場所の結果速報や過去の取組結果が検索できます。相撲界の楽しい話題満載のコラムも読めます。	
		日本相撲協会 公式アプリ「大相撲」	取組速報などの本場所情報のほか、幕内取組の動画を見ることができ、好きな力士を登録しておけば取組結果が通知されます。 ※「大相撲」のアプリは、「Google Play」「App Store」からダウンロードできます。	

※テレビやインターネット、アプリなど、利用料がかかるものは、必ず保護者に相談してから利用しましょう。

どすこいメモ！ 日本相撲協会や力士のツイッター、力士のサイトを見よう

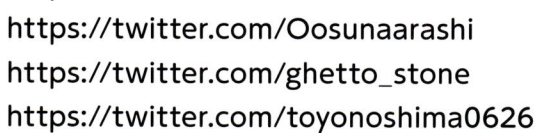

●日本相撲協会公式ツイッター
https://twitter.com/sumokyokai

●力士によるブログ
白鵬　https://ameblo.jp/hakuho-69
嘉風　https://lineblog.me/yoshikaze
勢　　https://ameblo.jp/syota-ikioi
安美錦　https://ameblo.jp/ami-nishiki

●力士によるツイッター
白鵬　https://twitter.com/HakuhoSho69
髙安　https://twitter.com/akira228taka
嘉風　https://twitter.com/Yoshikaze319
大砂嵐　https://twitter.com/Oosunaarashi
石浦　https://twitter.com/ghetto_stone
豊ノ島　https://twitter.com/toyonoshima0626

相撲用語集

相撲の世界には独特の言葉や言い回しがあります。知らず知らずのうちにわたしたちの暮らしになじんでいる言葉もあります。

「アンコ型」
力士の体型で丸く太っていること。魚のアンコウが語源と言われています。

「痛み分け」
取組中、力士が負傷し、相撲を続けることができないとき、行司が勝敗を引き分けにすること。

「一門」
師匠の部屋から独立し新しい部屋を新設するなどして縁続きとなった部屋同士の総称です。現在は6つの一門に分かれています。1964年（昭和39年）までは同じ一門同士は対戦せず、巡業も一門ごとに行われていました。

「打ち出し」
その日の取組がすべて終了したことをさします。終了と同時に、はね太鼓が打ち出されることからきています。

「上手」
自分の腕が相手の腕よりも外側になるようにしてまわしを取ること。

「大入り袋」
「満員御礼」が出ると、関係者に祝儀袋が配られます。赤地に白文字で「大入」の文字が書かれています。

「かいな」
腕のこと。

「勝ち越し」
勝ち星の数が負けよりも多いことをさします。幕内・十両の場合、8勝以上を上げると「勝ち越し」です。

「がちんこ」
真剣勝負。

「かまぼこ」
稽古で積極的ではないこと。稽古中に後ろの壁に張りつくように立つ姿が「板かまぼこ」と似ていることからきています。

「決まり手」
勝負を決めたときの技のこと。82手あります。

「金星」
横綱と三役以外の幕内力士が、横綱に勝利することで、ほかに美人をさすこともあります。

「好角家」
相撲を好きな人のこと。相撲を「角力」とも呼ぶことからきています。

「ごっつぁん」
ありがとうの意味。「ごちそうさま」からきています。

「下手」
相手の腕よりも内側に腕を差し込み、まわしを取ること。

「死に体」
取組中、バランスが崩れて勝つことができなくなった体勢のことをさします。

「しょっぱい」
相撲がうまくなく、弱いこと。情けない、ケチ臭いという意味もあります。

「白星・黒星」
勝負に勝ったら「白星」、負けたら「黒星」と言います。相撲の星取表に、勝った場合に白い○、負けた場合に黒い●を入れることからきています。

「すかす」（スカす）
相撲部屋から逃げ出すの意味。

「ソップ型」

筋肉質でやせている力士の体型をさします。スープのだしを取る鶏ガラが由来で、スープをオランダ語で「ソップ」と呼ぶことからきています。

「蹲踞」

仕切りのときの基本の姿勢。

「タニマチ」

後援者や、ひいきにしてくれる人のこと。明治時代に大阪の谷町で、相撲好きの医者が力士を無料で診療したことに由来しています。

「土をつける」

相撲の勝負で負かすことをさします。体の一部が土俵（土）について負けになることからきています。

「手が合う」

仲がよいことをさします。

「とうすけ」

けちんぼのこと。

「土俵を割る」

土俵の外に出ることです。

「取り直し」

「物言い」がつき、協議の結果、勝敗が決まらずもう一度取組を行うことをさします。

「中日」

本場所の真んなかにあたる日で、15日興行では8日目をさします。

「二字口」

東西の土俵への上がり口のこと。徳俵と、並行して埋めてある角俵の周辺をさします。並ぶ俵が「二」の字の形に似ていることに由来します。

「入幕」

十両から「幕内」に昇進することをさします。

「ぬけぬけ」

勝ち負け（白星と黒星）が交互に続くことを言います。

「番くるわせ」

下位の番付の力士が、上位の力士に勝つこと。

「ひとり相撲」

ひとりで相撲を取るまねをすることで、神事や大道芸で行われていました。相手もいないのに、また、周囲の事情なども考えずにひとりで意気込むことを「ひとり相撲を取る」と言います。

「平幕」

幕内力士で三役の下に位置する力士のこと。

「貧乏神」

十両筆頭力士のことをさします。給金（給料）は十両のものなのに、格上の幕内力士と対戦することもある地位ということからきています。

「ふところが深い」

背が高くて腕も長く、体がやわらかい力士をさします。相手にとっては非常にやりにくい力士です。

「ふんどしかつぎ」

関取の「明け荷」をかつぐ付け人をさします。転じて下っぱのこと。

「本割」

発表された取組表によって行われる取組のことをさします。優勝決定戦などは含まれません。

「胸を出す」

ぶつかり稽古で受け手になることです。ごちそうするという意味もあります。

歴代横綱一覧

初代から第72代横綱稀勢の里まで、横綱のデータをみていきましょう。

2017年（平成29年）12月現在。

代	四股名	出身地	横綱に昇進した場所	引退した場所	横綱在位場所数	優勝回数
初代	明石志賀之助	栃木県？	−	−	−	−
2代	綾川五郎次	栃木県？	−	−	−	−
3代	丸山権太左衛門	宮城県	−	−	−	−
4代	谷風梶之助	宮城県	寛政元年11月	寛政6年11月	11	−
5代	小野川喜三郎	滋賀県	寛政元年11月	寛政9年10月	11	−
6代	阿武松緑之助	石川県	文政11年3月	天保6年10月	16	−
7代	稲妻雷五郎	茨城県	文政12年10月	天保10年11月	18	−
8代	不知火諾右衛門	熊本県	天保11年11月	天保15年1月	6	−
9代	秀の山雷五郎	宮城県	弘化2年11月	嘉永3年3月	10	−
10代	雲龍久吉	福岡県	文久元年10月	元治2年2月	8	−
11代	不知火光右衛門	熊本県	文久3年11月	明治2年11月	13	−
12代	陣幕久五郎	島根県	慶応3年4月	慶応3年11月	2	−
13代	鬼面山谷五郎	岐阜県	明治2年4月	明治3年11月	4	−
14代	境川浪右衛門	千葉県	明治10年1月	明治14年1月	9	−
15代	梅ケ谷藤太郎（初代）	福岡県	明治17年5月	明治18年5月	3	−
16代	西ノ海嘉治郎（初代）	鹿児島県	明治23年5月	明治29年1月	12	−
17代	小錦八十吉	千葉県	明治29年5月	明治34年1月	10	−
18代	大砲万右衛門	宮城県	明治34年5月	明治41年1月	14	−
19代	常陸山谷右衛門	茨城県	明治37年1月	大正3年5月	22	1
20代	梅ケ谷藤太郎（2代）	富山県	明治37年1月	大正4年6月	24	−
21代	若島権四郎	千葉県	明治38年6月	明治40年1月	4	4（大阪相撲*）
22代	太刀山峰右衛門	富山県	明治44年6月	大正7年1月	14	9
23代	大木戸森右衛門	兵庫県	大正2年1月	大正3年1月	3	10（大阪相撲）
24代	鳳谷五郎	千葉県	大正4年6月	大正9年5月	11	2
25代	西ノ海嘉治郎（2代）	鹿児島県	大正5年5月	大正7年5月	5	1
26代	大錦卯一郎	大阪府	大正6年5月	大正12年1月	12	5
27代	栃木山守也	栃木県	大正7年5月	大正14年5月	15	9
28代	大錦大五郎	愛知県	大正7年5月	大正11年1月	8	6（大阪相撲）
29代	宮城山福松	岩手県	大正11年5月	昭和6年1月	25	2（ほか大阪で4）
30代	西ノ海嘉治郎（3代）	鹿児島県	大正12年5月	昭和3年10月	15	1
31代	常ノ花寛市	岡山県	大正13年5月	昭和5年5月	20	10
32代	玉錦三右衛門	高知県	昭和8年1月	昭和13年5月	12	9
33代	武蔵山武	神奈川県	昭和11年1月	昭和14年5月	8	1
34代	男女ノ川登三	茨城県	昭和11年5月	昭和17年1月	12	2

＊江戸時代から大正後期まで、大阪で独自に行われていた相撲興行のこと。

代	四股名	出身地	横綱に昇進した場所	引退した場所	横綱在位場所数	優勝回数
35代	双葉山定次（ふたばやまさだじ）	大分県	昭和13年1月	昭和20年11月	17	12
36代	羽黒山政司（はぐろやままさじ）	新潟県	昭和17年1月	昭和28年9月	30	7
37代	安藝ノ海節男（あきのうみせつお）	広島県	昭和18年1月	昭和21年11月	8	1
38代	照國万蔵（てるくにまんぞう）	秋田県	昭和18年1月	昭和28年1月	25	2
39代	前田山英五郎（まえだやまえいごろう）	愛媛県	昭和22年11月	昭和24年10月	6	1
40代	東富士謹一（あずまふじきんいち）	東京都	昭和24年1月	昭和29年9月	20	6
41代	千代の山雅信（ちよのやままさのぶ）	北海道	昭和26年9月	昭和34年1月	32	6
42代	鏡里喜代治（かがみさときよじ）	青森県	昭和28年3月	昭和33年1月	21	4
43代	吉葉山潤之輔（よしばやまじゅんのすけ）	北海道	昭和29年3月	昭和33年1月	17	1
44代	栃錦清隆（とちにしききよたか）	東京都	昭和30年1月	昭和35年5月	28	10
45代	若乃花幹士（初代）（わかのはなかんじ しょだい）	青森県	昭和33年3月	昭和37年3月	25	10
46代	朝潮太郎（あさしおたろう）	鹿児島県	昭和34年5月	昭和36年11月	17	5
47代	柏戸剛（かしわどつよし）	山形県	昭和36年11月	昭和44年7月	47	5
48代	大鵬幸喜（たいほうこうき）	北海道	昭和36年11月	昭和46年5月	58	32
49代	栃ノ海晃嘉（とちのうみてるよし）	青森県	昭和39年3月	昭和41年11月	17	3
50代	佐田の山晋松（さだのやましんまつ）	長崎県	昭和40年3月	昭和43年3月	19	6
51代	玉の海正洋（たまのうみまさひろ）	愛知県	昭和45年3月	昭和46年9月	10	6
52代	北の富士勝昭（きたのふじかつあき）	北海道	昭和45年3月	昭和49年7月	27	10
53代	琴櫻傑将（ことざくらまさかつ）	鳥取県	昭和48年3月	昭和49年5月	8	5
54代	輪島大士（わじまひろし）	石川県	昭和48年7月	昭和56年3月	47	14
55代	北の湖敏満（きたのうみとしみつ）	北海道	昭和49年9月	昭和60年1月	63	24
56代	若乃花幹士（2代）（わかのはなかんじ だい）	青森県	昭和53年7月	昭和58年1月	28	4
57代	三重ノ海剛司（みえのうみつよし）	三重県	昭和54年9月	昭和55年11月	8	3
58代	千代の富士貢（ちよのふじみつぐ）	北海道	昭和56年9月	平成3年5月	59	31
59代	隆の里俊英（たかのさととしひで）	青森県	昭和58年9月	昭和61年1月	15	4
60代	双羽黒光司（ふたはぐろこうじ）	三重県	昭和61年9月	昭和62年11月	8	0
61代	北勝海信芳（ほくとうみのぶよし）	北海道	昭和62年7月	平成4年3月	29	8
62代	大乃国康（おおのくにやすし）	北海道	昭和62年11月	平成3年7月	23	2
63代	旭富士正也（あさひふじせいや）	青森県	平成2年9月	平成4年1月	9	4
64代	曙太郎（あけぼのたろう）	アメリカ	平成5年3月	平成13年1月	48	11
65代	貴乃花光司（たかのはなこうじ）	東京都	平成7年1月	平成15年1月	49	22
66代	若乃花勝（わかのはなまさる）	東京都	平成10年7月	平成12年3月	11	5
67代	武蔵丸光洋（むさしまるこうよう）	アメリカ	平成11年7月	平成15年11月	27	12
68代	朝青龍明徳（あさしょうりゅうあきのり）	モンゴル	平成15年3月	平成22年1月	42	25
69代	白鵬翔（はくほうしょう）	モンゴル	平成19年7月	――	(62)	(40)
70代	日馬富士公平（はるまふじこうへい）	モンゴル	平成24年11月	平成29年11月	31	9
71代	鶴竜力三郎（かくりゅうりきさぶろう）	モンゴル	平成26年5月	――	(22)	(3)
72代	稀勢の里寛（きせのさとゆたか）	茨城県	平成29年3月	――	(5)	(2)

※ 本場所（ほんばしょ）が年6回（かい）行われるようになったのは昭和（しょうわ）33年以降（いこう）。優勝回数（ゆうしょうかいすう）は参考数字（さんこうすうじ）です。（ ）は現役（げんえき）。　　　　資料提供（しりょうていきょう）：相撲博物館（すもうはくぶつかん）。

一門別相撲部屋一覧

相撲部屋のデータを、一門別に紹介します。

幕内力士は赤字、十両は青字です。

2017 年（平成 29 年）11 月現在。

一門	部屋	師匠	主な在籍力士名	住所	ホームページやツイッターなど
高砂一門	東関部屋	東関 大五郎「元前頭・潮丸」	華王錦、白虎、高三郷	東京都墨田区東駒形 4-6-4	http://www.azumazeki.jp
	九重部屋	九重 龍二「元大関・千代大海」	千代大龍、千代の国、千代翔馬	東京都墨田区石原 4-22-4	https://www.kokonoe-beya.com
	高砂部屋	高砂 浦五郎「元大関・朝潮」	朝乃山、朝弁慶、玉木	東京都墨田区本所 3-5-4	http://www2s.biglobe.ne.jp/~wakamatu
	錦戸部屋	錦戸 眞幸「元関脇・水戸泉」	水戸龍、極芯道、本多	東京都墨田区亀沢 1-16-7	http://blog.livedoor.jp/nishikidobeya ※ブログ。
	八角部屋	八角 信芳「第 61 代横綱・北勝海」	北勝富士、隠岐の海、大岩戸	東京都墨田区亀沢 1-16-1	http://hakkakubeya.com
伊勢ヶ濱一門	浅香山部屋	浅香山 博之「元大関・魁皇」	魁渡、魁盛王、魁禅	東京都墨田区緑 4-21-1	http://asakayamabeya.net
	朝日山部屋	朝日山 宗功「元関脇・琴錦」	朝日龍、朝日城、朝日錦	千葉県鎌ケ谷市くぬぎ山 2-1-5	https://www.ahy-sm.com
	伊勢ヶ濱部屋	伊勢ヶ濱 正也「第 63 代横綱・旭富士」	照ノ富士、宝富士、安美錦	東京都江東区毛利 1-7-4	https://isegahama.net
	友綱部屋	友綱 勝「元関脇・旭天鵬」	魁聖、旭秀鵬、旭大星	東京都墨田区業平 3-1-9	http://tomozuna-beya.jp
	宮城野部屋	宮城野 誠志「元前頭・竹葉山」	白鵬、石浦、山口	東京都墨田区八広 2-16-10	http://nagoya-miyagino-fanclub.jp ※後援会運営のファンサイト。
二所ノ関一門	尾車部屋	尾車 浩一「元大関・琴風」	嘉風、豪風、天風	東京都江東区清澄 2-15-5	http://ogurumabeya.com
	片男波部屋	片男波 良二「元関脇・玉春日」	玉鷲、玉金剛、玉乃龍	東京都墨田区石原 1-33-9	http://kataonami.com
	佐渡ヶ嶽部屋	佐渡ヶ嶽 満宗「元関脇・琴ノ若」	琴奨菊、琴勇輝、琴恵光	千葉県松戸市串崎南町 39	https://sadogatake.jp
	芝田山部屋	芝田山 康「第 62 代横綱・大乃国」	魁、高麗の国、龍勢旺	東京都杉並区高井戸東 2-26-9	http://shibatayama.fc2web.com
	髙田川部屋	髙田川 勝巳「元関脇・安芸乃島」	輝、竜電、白鷹山	東京都江東区清澄 2-15-7	http://www.takadagawa.com
	田子ノ浦部屋	田子ノ浦 伸一「元前頭・隆の鶴」	稀勢の里、髙安、淡路海	東京都江戸川区東小岩 4-9-20	http://tagonoura.jp
	鳴戸部屋	鳴戸 勝紀「元大関・琴欧洲」	虎来欧、隅田川、欧翔山	東京都墨田区横川 2-14-7	https://twitter.com/ NARUTOBEYAteam ※ツイッター。
	二所ノ関部屋	二所ノ関 六男「元大関・若嶋津」	松鳳山、一山本、中園	千葉県船橋市古作 4-13-1	https://www.nishonosekibeya.net
	峰崎部屋	峰崎 修豪「元前頭・三杉磯」	荒鷲、豪頂山、満津田	東京都練馬区田柄 2-20-3	http://www.minezaki.com
時津風一門	荒汐部屋	荒汐 崇司「元小結・大豊」	蒼国来、若元春、若隆景	東京都中央区日本橋浜町 2-47-2	http://arashio.net
	伊勢ノ海部屋	伊勢ノ海 準人「元前頭・北勝鬨」	勢、錦木、頂	東京都文京区千石 1-22-2	https://www.facebook.com/isenoumi12 ※フェイスブック。

一門	部屋	師匠	主な在籍力士名	住所	ホームページやツイッターなど
時津風一門	井筒部屋	井筒 好昭「元関脇・逆鉾」	鶴竜、鋼、睦	東京都墨田区両国 2-2-7	http://izutsurm.la.coocan.jp
	追手風部屋	追手風 直樹「元前頭・大翔山」	大翔丸、遠藤、大栄翔	埼玉県草加市瀬崎 5-32-22	http://oitekaze.com
	鏡山部屋	鏡山 昇司「元関脇・多賀竜」	鏡桜、竜勢	東京都葛飾区新小岩 3-28-21	https://twitter.com/kagamiyamabeya ※ツイッター。
	錣山部屋	錣山 矩幸「元関脇・寺尾」	阿炎、青狼、寺尾	東京都江東区清澄 3-6-2	http://www.terao.info
	時津風部屋	時津風 正博「元前頭・時津海」	正代、豊山、豊ノ島	東京都墨田区両国 3-15-4	http://www.tokitsukazebeya.jp
	中川部屋	中川 憲治「元前頭・旭里」	旭蒼天、義春日、春日国	神奈川県川崎市幸区南加瀬 5-7-2	http://nakagawabeya.jp
	陸奥部屋	陸奥 一博「元大関・霧島」	霧馬山、霧乃龍、霧の富士	東京都墨田区両国 1-18-7	http://michinokubeya.com
	湊部屋	湊 孝行「元前頭・湊富士」	逸ノ城、湊竜、榛湊	埼玉県川口市芝中田 2-20-10	なし
出羽海一門	入間川部屋	入間川 哲雄「元関脇・栃司」	寶司、磯牙司、西大司	埼玉県さいたま市中央区八王子 3-32-12	なし
	尾上部屋	尾上 圭志「元小結・濱ノ嶋」	里山、天鎧鵬、竜虎	東京都大田区池上 8-8-8	http://www.onoebeya-tokyo.jp/onoe.html ※後援会運営のファンサイト。
	春日野部屋	春日野 清隆「元関脇・栃乃和歌」	栃煌山、栃ノ心、碧山	東京都墨田区両国 1-7-11	https://www.facebook.com/kasuganobeya ※フェイスブック。
	木瀬部屋	木村 瀬平「元前頭・肥後ノ海」	宇良、徳勝龍、英乃海	東京都墨田区立川 1-16-8	https://www.facebook.com/569330153204198 ※フェイスブック。
	境川部屋	境川 豪章「元小結・両国」	豪栄道、妙義龍、佐田の海	東京都足立区舎人 4-3-16	http://www.geocities.jp/sakaigawa_beya
	式秀部屋	式守 秀五郎「元前頭・北桜」	爆羅騎、西園寺、山中	茨城県龍ヶ崎市佐貫 4-17-17	https://twitter.com/shikihidebeya ※ツイッター。
	玉ノ井部屋	玉ノ井 太祐「元大関・栃東」	東龍、富士東、宝龍山	東京都足立区西新井 4-1-1	http://www.tamanoi.com
	出羽海部屋	出羽海 昭和「元前頭・小城乃花」	御嶽海、出羽疾風、海龍	東京都墨田区両国 2-3-15	http://www.dewanoumi.net
	藤島部屋	藤島 武人「元大関・武双山」	虎太郎、武玄大、福山	東京都荒川区東日暮里 4-27-1	なし
	武蔵川部屋	武蔵川 光偉「第67代横綱・武蔵丸」	武蔵国、中島、和蔵山	東京都江戸川区中央 4-1-10	http://musashigawa.com
	山響部屋	山響 謙écz「元前頭・巌雄」	北太樹、北磻磨、鳩の湖	東京都江東区東砂 6-6-3	http://yamahibikibeya.com
貴乃花一門	阿武松部屋	阿武松 広生「元関脇・益荒雄」	阿武咲、阿夢露、慶天海	千葉県習志野市鷺沼 5-15-14	http://onomatu.web.fc2.com
	大嶽部屋	大嶽 忠博「元十両・大竜」	大砂嵐、玄界鵬、銀星山	東京都江東区清澄 2-8-3	http://www.ootake-beya.com
	貴乃花部屋	貴乃花 光司「第65代横綱・貴乃花」	貴景勝、貴ノ岩、貴源治	東京都江東区東砂 4-7-6	http://www.takanohana.net
	立浪部屋	立浪 耐治「元小結・旭豊」	明生、天空海、羅王	茨城県つくばみらい市陽光台 4-3-4	http://www.tatsunami.jp
	千賀ノ浦部屋	千賀ノ浦 太一「元小結・隆三杉」	隆の勝、太一山、舛東欧	東京都台東区橋場 1-16-5	http://www.chiganoura.net

さくいん

監修● **服部祐兒** （はっとり・ゆうじ）

1960年（昭和35年）愛知県に生まれる。東海学園大学経営学部教授。相撲指導者として同校の相撲部監督を務める。同志社大学時代に学生横綱、アマチュア横綱ほかアマチュア相撲の主要タイトルを17度獲得。1983年（昭和58年）、大学卒業後に伊勢ノ海部屋から幕下附出で初土俵を踏む。1985年（昭和60年）に新入幕を果たし、四股名を本名の「服部」から「藤ノ川」に改名した。最高位は前頭3枚目。引退後は相撲解説者として活躍し、2010年（平成22年）より現職。

編集●ニシ工芸株式会社（名村さえ子／後藤加奈／高瀬和也）

イラスト●カンナ・エヴァンス／福本えみ

協力●公益社団法人 日本相撲協会

取材協力●伊勢ノ海部屋／宮城野部屋／西山久夫

写真撮影●斎藤政春
写真協力●春日大社／国立国会図書館／東京都立中央図書館特別文庫室／
　　　　　123RF ／ PIXTA ／ shutterstock
墨絵●垂井ひろし
装丁● FAR EAST STUDIO （江草優子）
DTP● FAR EAST STUDIO （江草優子）／ニシ工芸株式会社
編集協力● mii ／上田 宙／中馬良子
担当編集●門脇大

この本に掲載されている内容は、特に記載のあるものを除き、
2017年10月現在のものです。

決定版 ビジュアル 大相撲図鑑

2018年1月　初版第1刷発行

発行者　小安宏幸
発行所　株式会社汐文社
　　　　〒 102-0071
　　　　東京都千代田区富士見 1-6-1
　　　　TEL 03-6862-5200　FAX 03-6862-5202
　　　　http://www.choubunsha.com/

印刷・製本　株式会社シナノ

ISBN978-4-8113-2422-7

早閂山

六十九代
横綱
白鵬

第69代横綱・白鵬 翔の手形。